KB207295

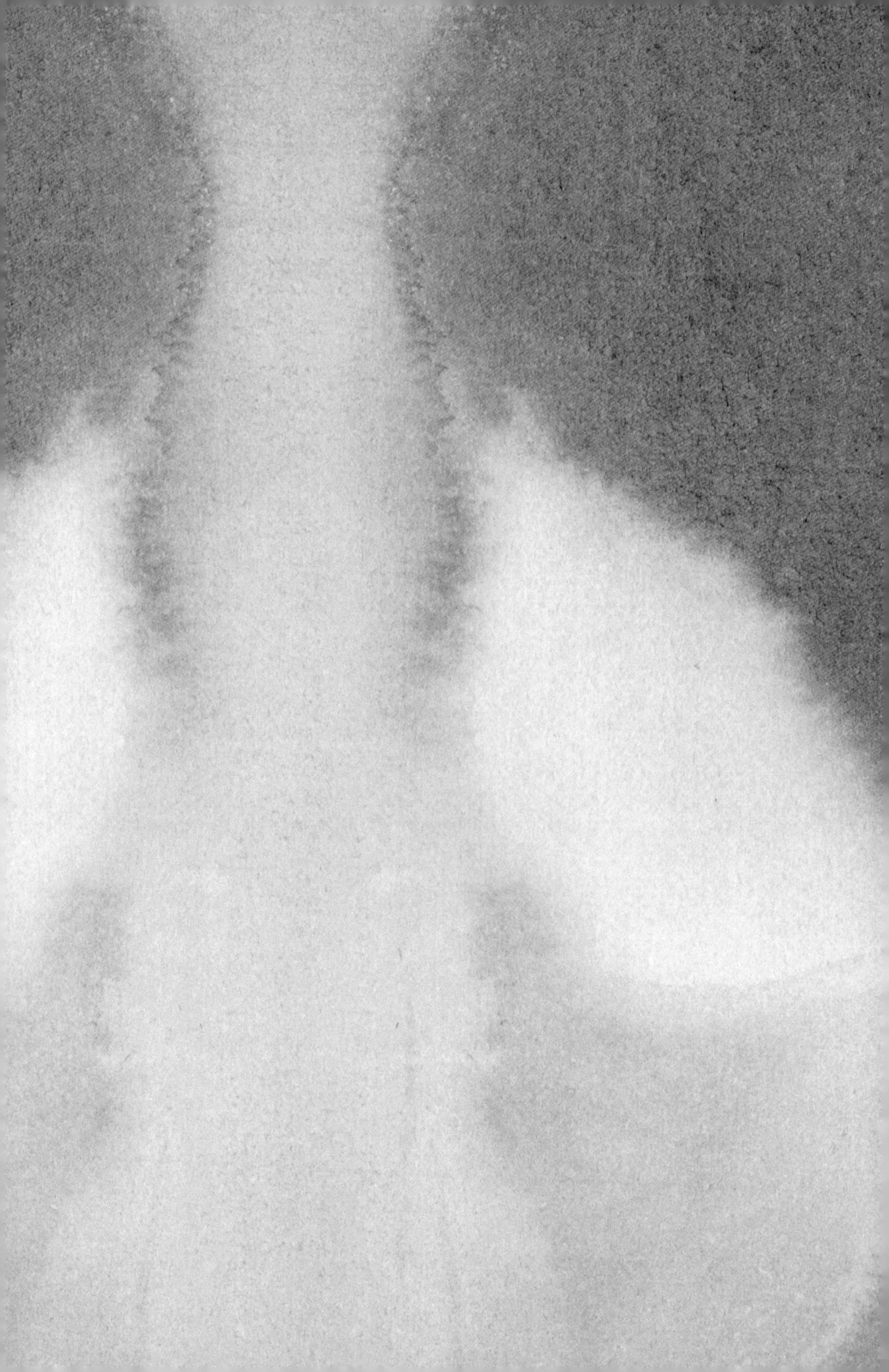

다정히, 나를 마주 본 순간

이룬

채하

진실하게 빛나다

류지현

백기사

차례

이룬

보물 같은 삶의 조각을 담아

첫 번째 진주 : 눈물의 돌

두 번째 문스톤 : 변화의 돌

세 번째 페리도트 : 치유의 돌

네 번째 루비 : 용기의 돌

다섯 번째 다이아몬드 : 정신력의 돌

여섯 번째 에메랄드 : 행복의 돌

일곱 번째 마노 : 행운의 돌

여덟 번째 오팔 : 다양성의 돌

아홉 번째 사파이어 : 깨달음의 돌

열 번째 자수정 : 평화의 돌

시작 글

여러분 안녕하세요, 반갑습니다:)
수많은 우연과 필연이 만나
활자를 통해 우리가 만났네요.
소중한 여러분들을 위해
저만의 보물 함 속에 있던 이야기들을
세상밖에 꺼내 보려고 합니다.
어둠 속에서 있던 한 아이가
밝은 세상 밖으로 나오게 된 이야기,
따뜻한 커피 한 잔 마시며
즐겨 주셨으면 좋겠습니다.
자, 그러면 시작합니다.

보물 같은 삶의 조각을 담아

언젠가 바닷가에 있는 수많은 돌을 보았다.
밀물에 돌들이 적셔지고, 썰물에 다시 드러나고 있다.
그 돌들은 우리에게 아무런 감흥을 주지 않지만,
자세히 보면 놀랍도록 고유한 돌들이며, 각자의 생을 살아가고 있다.

나도 그 돌멩이 중의 하나이다.

열심히 살아왔지만,
대단한 성과를 이뤄낸 것이 없어서 빛나지 않는 삶이었다.
빛이 나지 않아서 그저 동글동글한 돌멩이가 될 뿐이었다.

하지만 빛나는 보석들도 사실 그저 돌멩이들이다.
사람들이 특정 돌을 귀하게 여겨 그 돌들이 보석들로 된 것처럼,
나도 내 인생을 귀하게 여겨 보석들로 바라보고자 한다.

내가 그때 그 고난이 없었다면, 그때 그 행운이 없었다면,
세상을 이 정도로 아름답게 바라보는 눈을 갖지 못했을 것이다.
이 눈을 가지고 나서야 비로소 어둠을 빛으로 바라볼 수 있었다.
내 시선으로 돌멩이에서 보석이 된 모든 순간을 여기에 담아본다.

첫 번째 보물,

진주(Pearl) : 눈물의 돌

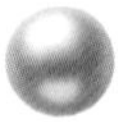

하얗고 맑은 진주는 어떤 보석보다도 참 슬프게 만들어졌다. 조개 속으로 들어오려는 이물질들을 제거하기 위해 만든 체액이 쌓여서 만들어진 덩어리가 바로 진주이다. 나 또한 외부로부터 오는 아픔과 상처로 인해 눈물이 쌓이고 쌓여서 나만의 진주가 만들어졌다.

바람이 많이 불던 어느 날 울보가 한 명 태어났다. 울보는 가정, 학교, 직장이란 태풍을 맞으며 살아왔다. 그 태풍 속에서 힘겹게 한 걸음씩 옮겨온 삶의 발자취 시작의 순간으로 거슬러 올라가 본다. 태어나서 처음 본 사람들은 부모님 두 분과 소중한 언니와 오빠였다. 집에 아무런 문제가 없었다면 평화로운 나날을 보냈을 것이다.

하지만 문제는 항상 있었다. 부모님은 금전적으로 형편이 어려우셨다. 아버지는 그걸 견디기 어려우셨는지 그 힘듦을 집에 다 풀었다. 우리 집은 매일 밤 큰 소리가 들렸다. 고함치는 소리, 무언가 깨지는 소리, 들리지 말아야 할 소리를 들으면서 생존의 위협을 느끼기도 했다. 평화로운 어린 시절이 아닌 정신이 번쩍 드는 긴장 속에서 살아왔다. 눈물이 나오더라도 눈을 크게 떠서 괜찮은 척을 하고 숨을 들이마셔 최대한 조용히 숨죽여 살았다. 나마저 부정적 소리를 소리 내게 된다면 집에 더 혼돈이 올 것 같았다. 그래서 이런 가정으로부터 나를 숨기고 도망치기 위해 나만의 아지트 장롱에 들어가 버렸다. 그 어두컴컴한 어둠 속에서 비로소 마음 편하게 울 수 있었다. 밑에 있었던 이불들은 내 눈물들로 젖어 들어갔다. 안고 있던 곰 인형은 내 소중한 친구가 되어 나를 위로해 주었다.

어둠 속에서 나날들을 보내던 중, 어느 날은 가정불화가 심하게 일어났다. 집 거실 바닥에는 불이 나고 있었다. 아무리 싸우셔도 집에 불까지 난다고는 예상하지 못했다. 나는 바로 옆에서 자고 있던 언니, 오빠를 깨웠다.

"언니, 오빠 빨리 일어나봐! 지금 집에 불이 났어."

그래도 나 혼자 살 수는 없으니까 빨리 깨웠다. 눈을 비비며 힘겹게 일어난 언니, 오빠는 이런 일에 익숙해졌는지 "엄마가 알아서 잘하겠지" 라는 한 마디를 남겨두고 다시 이불 속으로 들어갔다. 그 뒤로 실제로 어머니가 커다란 먼지떨이를 들고 크게 두 번 휘둘러서 그 불을 껐다. 나는 무슨 마술을 본 줄 알았다. 이런 식으로 우리 다섯 식구 사이에 일어난 불화들은 중간에 어머니가 해결을 해주고 계셨다. 힘들었던 어린 시절 속에서 큰 문제가 없이 살아올 수 있었던 이유다.

이러한 일들이 있는 뒤로 울보는 초등학교에서 두 번째 태풍을 맞게 된다. 같은 반 또래에서 내 신발에 집착하는 어떤 아이를 만나게 된 것이다. 그 아이는 항상 하교할 때 정성스럽게 내 신발에 계속 뭔가를 넣어두었다. 벌레, 계란껍질, 쓰레기 기타 등등 그걸 거의 매일 당해왔다. 그때는 너무 순수했기에 뭐가 잘못됐는지도 몰랐다. 계속되는 괴롭힘에도 내가 할 수 있는 것은 신발을 털고 그 안에 발을 집어넣는 것뿐이었다.

신발 문제는 겨울이었다. 그 아이는 계속 누가 나에게 해를 가하기 위해 쫓아온다며 겁을 주고 계속 신발을 놀이터에 숨겨 놓아야 도망칠 수 있다고 거의 반협박을 했다. 순수했던 나는 그걸 믿었고 계속 겨울에 맨발로 집에 갔다. 추운 겨울의 차갑고 날카로운 바람 속에서 사람들이 날 이상하게 보는 시선을 견뎌야 했다. 발의 감각은 사라져갔고, 항상 내 청바지 밑단에는 꽁꽁 얼어붙은 눈들이 붙어있었다. 그래도 양말이라도 있어서 다행이라고 생각했다.

집에 도착해서는 신발을 실수로 잃어버렸다고 거짓말을 해서 넘어갔다. 하지만 계속되는 상황에 부모님도 학교폭력 사실을 알게 되었다. 무엇이 그렇게 죄송스러운지 얼음 같은 딱딱한 청바지를 입은 상태로 집 바닥에 무릎을 꿇었다. 그리고 나선 집과 학교라는 세상을 향해, 나는 고개를 숙였다. 그렇게 하면 나를 향하는 세상의 날카로움이 더 무뎌질 거라는 착각을 했다. 무릎을 꿇고 그 뒤로는 눈마저 감았다. 눈을 감자 나에게 고통을 주었던 세상을 안 볼 수 있었다. 하지만 그 어둠 속에서도 청바지 밑단에 붙어있던 날카로운 얼음 조각들은 내 발목을 옥죄고 있었다. 이 일은 부모님끼리 만나 해결을 지었지만, 나는 그 얼음 조각들이 오랜 시간 잊히지 않았다.

시간이 흘러 아이였던 울보는 몸만 큰 어른이 되어 첫 직장을 갖게 된다. 내가 들어간 팀은 평균적으로 3개월마다 퇴사자가 나오는 곳이다. 그걸 알고도 어떠한 어려움도 이겨내 보겠다는 당찬 포부를 갖고 들어갔다. 신입사원 6개월 차까지 새벽 5시에 일어나 엑셀 공부를 하고 자기 전까지 업무 공부를 하며 빠른 속도로 업무를 습득해 나갔다. 나를 칭찬하지 않은 사람이 없었던 것 같다. 계속 열심히만 하게 해주면 좋았을 텐데 현실은 그렇지 않았다.

사무실에선 어린 날 들었던 큰소리가 계속 들렸다. 그 큰소리는 누군가에게 잘못을 따지는 소리이기도 했고, 화풀이를 하는 소리이기도 했다. 혼나는 사람이 잘못했든 잘했든 중요하지 않았다. 그저 운이 안 좋으면 타깃이 되었다. 직장 상사는 누군가에게 화를 쏟아내야 직성이 풀리는 분이었다. 거기서 나는 내 이름으로 불리지 못했다. "야"라고 불렸다. 나에 대한 화와 짜증이 가득한 소리를 매일 들었다. 업무적으로 성장하고 싶었는데, 상사 입장에서는 그게 중요하지 않았고 직원들을 밤늦게까지 굴려서 보고자료를 만들게 했다. 매일 10시 야근은 기본이고 심할 때는 밤도 새면서 업무를 했다. 몸살이 나서 몸이 아파도 쉬질 못했다. 쉬겠다고 말하면 눈치가 없는 사람이 되었다. 그렇게 1년 반의 시간이 흘렀다. 고통에 익숙해진 나는 혼이 빠진 눈으로 계속 출근했었다.

아침에 일어날 땐 혼나는 환청이 들려서 무의식적으로 '죄송합니다'라는 말을 하면서 일어났다. 또 정신적으로 이제 과부하가 걸린 것 인지 일하다가 울고, 회의 시간에 울고, 감정제어를 못 하는 상태가 되었다. 그 상태로 6개월을 더 다녔다. 그러자 상태는 더 심각 해져서 이제 주위의 모두가 정신병원에 가보라고 했다. 갑자기 과호흡하고 몸을 떠는 게 심각해 보였을 것이다. 너무 힘들었는데 아이러니하게도 퇴사할 수가 없었다. 그때 당시의 나는 회사를 퇴사할 힘마저 없었다. 퇴사하지 못해서 하루하루 힘겹게 출근을 강행했다. 그 후 의자에 앉아 있을 수조차 없는 상태가 되어버렸다. 모든 세포가 비명을 지르는 느낌이라서 더 이상 하다가는 암에 걸릴 것 같았다. 미련하게도 그 정도 상태까지 가서야 사표를 던졌다. 내가 사직원을 제출한 후 보름 후에 팀장님과 팀원들도 일을 못 하겠다며 모두 사직원을 제출했다. 그리고 직장 내 괴롭힘으로 회사 차원에서 신고하게 되었다. 그 임원분은 결국 회사를 나가게 되었다. 회사에서는 내 상태를 보고 급여 다 줄 테니까 업무 할 수 있는 날까지만 근무하고 퇴직일보다 먼저 마무리해도 된다고 배려를 해주었다.

당찬 포부를 갖고 입사했던 첫 회사의 마지막 날이 되었다. 회사 사람들에게 그동안 감사했다고 인사를 돌렸다. 그중 타 부서의 부장님이 나를 끝까지 걱정해 주셨다. "이룬아, 힘들더라도 혼자 있지 말고 이럴 때일수록 밖에 나가야 해. 그리고 지금 네가 힘든 것은 네가 가지고 있던 그릇이 이 상황을 감당하지 못해서야. 지금 한번 이겨냈으니까 이제 더 큰 그릇을 가지게 되었을 거야." 걱정 어린 이 말 한마디를 계속 잊지 못할 것 같다. 부장님과 대화가 끝나고 회사사람들에게 전체적으로 그동안 감사했다고 인사를 했다.

그러자 내가 모르는 사람들까지 나에게 박수를 쳐주셨다. 여기저기서 "고생했다." "앞으로 더 잘될 거다." 응원하는 목소리들이 들려왔다. 회사에서 도망치는 순간에 박수갈채를 받자, 그때 힘들었던 감정이 녹아내려 또 울게 되었다. 회사 후배는 내가 하도 울어서 이제 휴지를 상시 챙기고 다녀서 옆에서 계속 닦아주었다. 정말 고마운 후배였다. 이 마지막 기억 덕분에 이제는 소중한 첫 회사로 마무리 짓게 되었다.

두 번째 보물,

문스톤(Moonstone) : 변화의 돌

문스톤은 달빛처럼 은은한 빛이 각도에 따라 색이 바뀌는 돌이다. 그래서 변화와 새로운 시작을 상징하는 돌이다. 그동안 달빛이 비치지 않는 어둠 속에만 숨어있었다는 것을 안다. 그래서 다시 빛으로 나아가기 위해 변화를 시도했다.

변화의 시작은 나의 새로운 이름으로부터 시작되었다. 학창 시절의 힘들었던 경험들로 인해 부모님은 나에게 개명을 하자고 제안해 주셨다. 힘든 일이 끊이질 않아서 사주를 봐 보니 사주와 이름이 맞지 않아서 계속 인고가 발생했던 것이라는 말을 들었다고 한다. 나는 그 의견을 받아들여 개명을 하기로 결심했다.

부모님은 실행력이 좋아서 바로 나에게 맞는 이름을 찾기 시작해 주셨다. 편하게 작명원에 맡기시지 않았고, 직접 음양오행을 공부하셔서 이름을 만들어 주셨다. 이름을 만들기 위해 두꺼운 책을 공부하던 부모님을 보면서 참 집요하다는 생각이 들었다. 하나에 꽂히게 되면 파고드는 내 성격도 여기에서부터 시작되었을 것이다.

초등학교에 다니던 어느 여름방학, 나는 개명을 하기 위해 법원에 갔다. 법원에 가기 전 부모님이 나에게 신신당부했다. "판사님 앞에선 꼭 너의 의지로 개명하겠다고 해야 해" 이렇게 말이다. 나는 결의에 찬 표정으로 반드시 그렇게 하겠다고 여러 번 고개를 끄덕였다. 법원에 도착한 후 대회의실 같은 곳에 인자하신 판사 한 분이 앉아 계셨다. 그러고 나선 어머니가 말해준 똑같은 대사를 나에게 물음으로 건넸다. "본인의 의지로 개명을 하고자 한 것인가요?" 단순한 질문이었다. 나는 올 것이 왔구나 싶었다. 마음의 준비를 하고서 "네, 제가 원해서 개명하려고 합니다!" 과도하게 씩씩하게 말해버렸다. 판사님은 당찬 대답에 안심한 표정을 지으셨다. 그 뒤로 무사히 법원을 나왔다. 나의 '의지'로 과거의 나를 없애고 새로 태어난 순간이었다.

나는 이름만 달라졌을 뿐인데 눈빛이 달라져 있었다. 의기소침했던 아이가 없어지고 왠지 모르게 활력이 넘쳤다. 이름이 달라져서 그랬던 것인지, 타인에게 처음으로 내 의지를 표명해서 그런 것인지는 모를 일이다. 결론적으로 그 후 내 안에 굵은 심지가 생겼다. 이제 스스로 설 수 있는 사람이 되었다. 그 뒤로는 신기하게 괴롭힘을 당하는 일이 눈 녹듯이 사라졌다. 시간이 지나 그때 그 아이도 나를 마주치면 고개를 숙이고 지나갔다.

그 후, 나는 나를 한번 객관적으로 되돌아보았다. 그러자 너무 몸이 약해 보인다는 것을 알게 되었다. 약해 보이는 것뿐만 아니라 실제로도 툭 치면 쓰러질 듯이 약했다. 그래서 한번 무술을 배워보고 싶어 택견학원에 등록했다. 몸에 아무런 근육이 없는 상태에서 배우는 운동이란 흡사 재활치료와 비슷했다.

처음 스쿼트 100개를 했을 때는 2주 동안 근육통으로 걷는 것을 못하였다. 내 옆에 거동이 불편한 할머니가 지나가면 할머니가 나를 답답해서 지나칠 정도였다. 파란 불 신호등이 꺼지기 전에 못 건너서 곤란한 적이 있기도 했다. 하지만 포기하지 않고 1년을 계속 꾸준히 운동했다. 그러자 이제는 익숙해졌는지 스쿼트 1,000개를 거뜬히 하게 되었다. 꾸준함의 힘은 정말 대단했다. 90도였던 다리도 발차기를 위해 '1년 동안 하루에 1도씩만 찢어 보자'라는 마음가짐으로 쉬지 않고 스트레칭했다. 1년이 지나자 비로소 일자가 되었고 그때부터 마음껏 발차기 훈련을 할 수 있었다.

택견은 태권도와 다르게 몸을 감싸는 보호 장비가 없다. 겨루기 훈련을 하면 여기저기서 날아오는 발차기들을 그대로 맞아야 했다. 평생 걸쳐 얻을 맷집을 학원에 다닌 3년 동안 얻었다. 계속 맞을 수만은 없어서 발차기 훈련을 혹독하게 했다. 훈련을 많이 해서 양쪽 발등에는 시퍼런 멍이 생겼다. 멍이 생길 때쯤 사람들이 나에게 야구방망이라는 별명을 붙여줬다. 겨루기하면 야구방망이로 맞은 듯한 느낌이 든다고 말이다. 과거에 후들거렸던 다리는 이제 날 지켜주는 방망이가 되었다. 그 뒤로 믿을 구석이 생겼는지 누구를 만나도 덤덤해질 수 있었다.

세 번째 보물,

페리도트(Peridot) : 치유의 돌

페리도트는 수많은 보석 중 유일하게 우주로부터 오는 보석이다. 그래서인지 명상을 할 때 이 보석을 가까이 두면 내면의 평화와 통찰력을 얻을 수 있다고 한다. 이번 에피소드의 키워드는 바로 명상이다. 나에게 명상은 아픔을 치유해 주는 도구이다. 다시 생각해 보면 지난날의 아픔들은 모두 사람에게서 왔다. 그 상황이 지나가고 해결되었다고 하더라도 그 사람에 대한 증오와 분노는 남기 마련이다. 솔직하게 나 또한 누군가를 증오해서 그 사람의 삶이 힘들게 되기를 바라기도 했다. 부적을 사는 경로를 알았다면 샀을 수도 있는 정도였다. 하지만 나는 그러지 않았다.

누군가를 향한 부정적인 감정들은 족쇄이며 하나의 감옥과 같은 창살이 되었다. 증오는 그 상황을 계속 생각나게 하는 힘을 가지고 있다. 내가 아름다운 것들을 볼 수 있는 눈을 가려버린다. 그래서 나는 그러한 족쇄를 저 멀리 던져버렸다. 그러고 나선 나에게 고통을 주었던 사람들에게 마음속으로 용서를 해드렸다. 용서는 그 사람들을 위한 것이 아니라 오로지 나를 위한 것이었다.

우리 삼남매는 태어나 다리를 접고 앉을 수 있게 된 순간부터 이미니가 명상을 알려주셨다. 그래서 힘든 일을 생기면 명상을 시작하는 것이

습관이다. 명상 속에서 나 자신을 먼저 용서하고, 그분들을 진심으로 이해하고 용서한다. 이것을 밥을 먹으면서도 하고, 잠을 자면서도 한다. 진정으로 용서가 완벽하게 됐다는 생각이 들 때까지 말이다.

명상은 악연의 고리를 끊어주는 가위 같은 도구이다. 용서 명상을 통해 안 좋은 인연을 깔끔히 잘라낼 수 있다. 안 좋았던 순간이나 좋았던 순간이나 그때 느꼈던 상황과 감정에 얽매이면 마음의 자유를 얻지 못한다. 그래서 과거에 얽매임에서 벗어나 현재를 살고자 했다.

여러분들도 혹시나 사람 때문에 마음이 힘들다면 그 사람을 용서해주고 밝은 빛으로 나아가길 바란다. 상처를 준 누군가를 계속 생각한다면 상처를 받았던 순간이 반복된다. 그 순간 속에 갇히기에는 여러분은 너무나도 소중한 사람이다. 최고의 치유는 용서를 통한 자유로움으로부터 시작된다.

네 번째 보물,

루비(Ruby) : 용기의 돌

루비의 붉은 색은 생명력과 열정을 상징하며, 용기를 북돋아 주는 보석으로 여겨진다고 한다. 아무래도 불에 타오르는 듯한 강렬한 색감을 보고 사람들이 이와 같은 의미를 부여했을 것이다. 불이 활활 타오르려면 넣어야 하는 것이 있다. 바로 마른 장작이다. 나는 이 마른 장작과 같은 나를 무모하게 불 속에 집어넣어 계속 성장해 왔다.

오래전부터 '나는 왜 살아야 할까'라는 질문을 많이 떠올리면서 살아왔다. 이 생각은 나는 깊고 긴 어둠의 터널에서 빠져나오지 못하게 했다. 하지만 그 터널 끝에 있는 자그마한 빛을 발견했다. 너무 멀리 있어서 하얀 점 같은 빛을 보고 결심했다. 절대 멈추지 않고 계속 걸어가겠다고 말이다.

그때부터 나는 내가 할 수 있는 모든 일에 도전했다. 학창 시절 게시판에 붙은 대외 활동들은 다 도전했다. 길을 지나가다 있는 사진 공모전이 보이면 옆에 있는 민들레를 찍어 공모전에 참여했다. 대외 활동 중 팀으로만 참여할 수 있는 것은 담당 선생님께 따로 말씀드려서 참여했다. "같이 할 사람이 없어서 저 혼자 참여해야 할 것 같아요, 대신 서를 딤이리고 생각해 주세요."라고 말씀드렸다. 이런 식으로 무조건 시작했고 그 뒤의 일은 미래의 나에게 맡겼다. 미래의 나는 또 피할 수 없는 운명이기 때문에 겸허히 수행했다.

내가 할 수 없다고 생각했던 일들을 해내기 시작하면서 자신감이 생겼다. 목소리가 작았던 아이는 수업 시간에 질문을 제일 많이 하는 아이가 되었다. 항상 변두리에 있던 아이는 이제 조별 과제에서 팀장만 맡는 아이가 되었다. 도전을 많이 해봤기에 내가 팀장으로 있는 팀은 항상 결과가 좋았다. 높은 학점이나 상은 저절로 따라왔다. '도전하는 용기'는 내가 원하는 자아정체성을 만들 수 있는 무기가 되었다.

계속 앞으로 나아갔지만, 어둠 속에서는 한 발짝 앞에 뭐가 있을지 몰라서 두렵기도 했다. 두려움에 멈추게 되면 터널에서 영영 나올 수 없다는 것을 알고 있었다. 그래서 작은 도전이라도 해서 앞으로 나아가는 것을 선택했다. 터널 끝의 빛은 나에게 저절로 오지 않았고 내가 움직여야만 가까워질 수 있었다.

여기서 질문이 나올 수 있다. '그렇게 애써 도달하려는 빛은 뭔가?'라는 질문이다. 내가 생각한 빛은 장작불에서 벗어난 태양과 같은 빛이다. 내 힘으로 나를 지켜주고, 내 가족을 지키고, 더 나아가 불특정 다수의 사람에게도 도움을 줄 수 있는 빛을 뜻한다. 그 도움이 물질적인 것이든 정신적인 것이든 말이다. 내가 큰 사람이 되어 다른 사람들을 감싸안아 주고 싶다. 그렇게 되면 후회 없이 삶을 마무리할 수 있을 것이다.

다섯 번째 보물,

다이아몬드(Diamond) : 정신력의 돌

다이아몬드는 지구 깊은 곳에서 극한의 압력과 고온으로 인해 만들어지는 돌이다. 석탄이 되어 부서지지 않고, 압력을 견뎌내어 만들어졌다는 점에서 '정신력의 돌'이라고 이름 지었다. 이 정신력이란 개념은 나를 표현하는 데 있어서 꼭 빠지면 안 되는 개념이다. 지금까지 살아오게 해준 힘이며 앞으로 나를 살게 해줄 힘이기 때문이다.

내 주위 사람들은 알고 있겠지만, 나는 진심으로 원하는 것이 생기면 이 정신력의 힘으로 무엇이든 얻어낸다. 그게 내 역량 밖이라 하더라도 그 간극을 정신력으로 메꿔서 도달한다. 다른 돌들의 의미는 태어나서 경험을 통해 후천적으로 얻어졌다면 이번 다이아몬드 편은 태생적으로 쥐고 태어났다고 말하고 싶다.

아주 어릴 때부터 아픈 주사를 맞아도 드는 생각이 꾹 참고 버텨야 한다는 생각을 하면서 고통을 참았었다. 좀 더 커서 초등학교에 입학해서는 도 단위로 열리는 독서대회에 참가했다. 그때 최우수상이 교육감상이었다. 아무도 강요하지 않았는데 스스로 이 상을 가지기로 마음먹었다. 남들보다 더 높은 점수를 받기 위해선 월등한 독후감 양이 필요했다. 그래서 5일 동안 거의 밤을 새워가며 60편의 독후감을 제출해서 그

상을 가졌다.

중고등학생 때를 돌아보면 기억에 남는 일은 오래달리기이다. 항상 체육대회 때 열외 될 정도로 운동감각이 안 좋은 편이었지만 '끈기'가 필요한 종목은 자신있었다. 오래달리기 시험을 보기 위해 운동장에서 다른 친구들과 한 라인에 섰다. 그런 다음 체육 선생님의 호루라기 소리가 들리자 다 같이 뛰었다. 시작하자마자 입을 꾹 다물고 호흡을 아끼기로 결심한다. 5바퀴가 지났다. 하나둘씩 그만하겠다며 걸음을 멈춘다. 나도 같이 나가고 싶었지만 지금 멈추면 내 한계점이 그어지는 것 같아서 멈추지 않았다. 15바퀴가 지나자 이제 독한 아이들만 남았다. 나도 숨이 차오르고 갈비뼈는 아프고 다리는 점점 무거워져 앞으로 나아가기가 힘들었다.

힘든 감정을 느끼고 나선 다시 다짐한다. 여기서 내가 뛰다가 쓰러지더라도 계속 뛸 것이라고 말이다. 이 마음가짐으로 내 몸의 힘든 감각을 느끼는 것을 포기했다. 계속 뛰었더니 오히려 편안함을 느끼는 상태에 도달한다. 이제 내 옆에 같이 뛰고 있는 친구가 없고 어느덧 나 혼자가 되었다. 근데 또 여기서 멈추지 않았다. 왜냐하면 자의로 멈추고 싶지 않았다. 타의로 멈추고 싶었다. 결국 체육 선생님이 종쳤으니까 그만 뛰라는 약간 짜증 섞인 목소리를 듣고 나서야 나는 멈췄다. 그렇게 6년 동안 끈기 종목에선 항상 1등을 했다.

나는 절대로 자의로 내 한계점을 정하지 않는다. 어느덧 자유로운 사회인이 되어 이제 타인도 내게 한계점을 주지 않는다. 내 목표를 맘대로 세울 수 있고 그것에 반드시 도달할 수 있는 상태에 비로소 놓였다. 브레이크가 없는 나는 과연 어디까지 도전하고 성취를 할 수 있을지가 궁금하다.

여섯 번째 보물,

에메랄드(Emerald) : 행복의 돌

에메랄드는 맑고 청아한 초록빛을 띄어서 무한한 재생의 힘을 가진 자연을 상징한다. 여기서 모든 생명과 창조의 원천인 바다를 떠올렸다. 바다는 무수히 많은 생명체를 품어주면서도 밖으로는 해와 달과 구름을 담는다. 우리도 바다처럼 이미 모든 게 다 내 안에 있다는 것을 알면 행복할 것이다.

하지만 나도 내 안에 있는 것을 보지 못하고 바깥의 것을 쫓기도 했다. 취업 준비를 할 때 하고 싶은 일을 찾지 못한 것이다. 그래도 취업은 하고 싶어서 남들이 좋다고 하는 공기업 필기시험 준비를 했다. 자기소개서는 합격했지만, 필기시험은 아슬아슬하게 매번 불합격했다. 결과적으로 직장이라는 인생 관문을 뚫지 못한 것이다. 내 사회적 가치는 0원이었다. 0원인 나에게 어머니는 아침마다 따뜻한 김치찌개를 끓여 주셨다. 속으로 내가 이 음식을 먹을 자격이 없는 것 같아 계속 입맛이 없다고 아침을 걸렀다. 불확실한 미래에 덩그러니 놓여서 하염없이 우울했고 거기서 빠져나오지 못했다.

공백 기간이 점섬 길어졌다. 이제 부모님도 취업하라는 말을 하지 않고, 하고 싶은 활동을 하라고 응원해 주셨다. 그때부터 돈을 벌기 위한 취업이 아닌 내가 진짜로 하고 싶은 것이 무엇인지 계속 고민했다. 그래서 내가 중요하게 생각하는 가치를 중심으로 직업 선택의 기준 세 가지를 정했다. 첫 번째, 지적 호기심이 강해서 끊임없이 배우고 익혀야 하는 직업이어야 한다. 두 번째, 8대 전문직군과 연결되어 전문성을 사회적으로 떨칠 수 있어야 한다. 세 번째, 실용적이야 한다. 나중에 사업을 시작하더라도 도움이 되는 직군으로 가고 싶었다. 내 특성을 바탕으로 기준을 세워 회계 분야를 선택했다. 진로를 새로 선택하기에는 늦은 나이였지만 밤낮으로 공부하여 빠르게 지식을 흡수했다. 공기업 필기시험 준비할 때와 똑같이 하루 종일 공부했다. 분명 공부하는 것은 같았는데, 내가 원해서 선택한 직무였기 때문에 배움에 대한 의욕이 넘쳤다. 회계는 삶의 활력소가 되어주었고 내 마음속 그늘을 내쫓아주었다.

내가 원하는 것을 찾기 전까지는 사회가 원하는 모습을 쫓았다. 이른 나이에 남들이 부러워할 만한 직장에 취업하고 싶었다. 취업을 간절히 바랐었는데, 가까이에 있는 무지개가 손에 잡히지 않는 것처럼 초조하기만 했다. 초조함을 극복하기 위해 작은 용기를 내어 내 안에 있는 나다움을 찾았다. 내가 선택한 나다운 직업을 찾고 나서는 잡히지 않던 무지개가 손에 잡혔다. 어두웠던 마음속에 열정, 희망, 용기, 차분함이라는 다양한 빛깔이 피어난 것이다.

바다가 하늘을 보며 저 멀리 있다고 하지만, 바다는 이미 하늘을 품고 있었다. 우리의 행복도 멀리 있는 것처럼 보이지만 사실 행복은 처음부터 우리 안에 있다. 진정으로 원하는 것은 내면 깊은 속마음에 있기 때문이다. 행복은 '나다움'을 마주한 순간에 찾아온다.

일곱 번째 보물,

마노(Agate) : 행운의 돌

마노는 수 세기 동안 행운의 돌로 알려져 왔다고 한다. 그래서 이 돌의 힘을 빌려 내가 느꼈던 행운들에 대해 말하고 싶다. 행운은 세상을 같이 살아가는 사람들로부터 온다. 누군가 길거리에 있는 돌을 치워 놓아서 그 덕에 누군가는 목숨을 구할 수도 있다. 이게 바로 행운이 전달된 것이다. 세상에 당연한 것은 없다. 지금 이 책을 읽고 있다는 것은 여러분들이 모두 하루를 무사히 보낼 수 있는 행운을 받는 사람들이라는 방증이다.

나도 무수히 많은 행운이 나에게 오고 갔다는 것을 안다. 내가 힘들 때마다 나 혼자의 힘으로 이겨냈었다고 생각했는데 사실 그게 아니었다. 나에겐 어머니와 아버지가 있었고, 친구들이 있었고, 도움을 준 수많은 타인이 있었다. 지금의 내가 평안할 수 있는 것은 바로 이 행운들을 받았기 때문이다.

어렸을 때 길을 잃어버렸는데 끝까지 집을 찾아 주신 경찰 아저씨, 편의점에서 알바할 때 생명의 위협을 받을 때 곁을 끝까지 지켜줬던 단골손님, 계곡물에 휘말려 들어갔을 때 나를 살려준 그물망, 재수할 때 공부하라고 자기가 살고 있던 원룸을 내어준 언니, 항상 모르는 문제가 나오면 척척박사처럼 알려주던 전교 1등 오빠, 학창 시절을 즐길 수 있게 나랑 놀아준 친구들까지 이 모든 것들은 나에게 당연하게 주어진 것이 아니다. 타인이 준 행운인 것이다. 이 행운들을 소중하게 기억하며 살고 싶다.

그리고 내가 받았던 행운을 다시 세상에 전달하고 싶었다. 그래서 소소한 행복을 글로 전달하는 블로그를 운영 중이다. 내 블로그 공간이 지친 일상을 보내고 계시는 분들에게 작은 쉼터가 되었으면 하는 마음이다. 나비의 날갯짓이 지구 반대편에선 태풍이 되는 나비효과처럼 나의 작은 행동이 누군가에게 행운으로 전달되었으면 한다.

여덟 번째 보물,

오팔(Opal) : 다양성의 돌

오팔은 루비의 붉은색과 자수정의 화려한 자색이, 에메랄드의 푸른색이 빛의 각도에 따라 모두 나타나는 돌이다. 다양한 빛깔을 하나의 돌에 가지고 있기 때문에 다양성의 돌이라고 표현했다. 내 성격에는 이 오팔처럼 특별한 점이 하나 있다. 바로 스펀지처럼 뭐든지 배우고 받아들이려고 하는 점이다. 배움에 있어서 받아들이는 것뿐만 아니라 사람들의 사소한 성격 또는 습관마저 받아들인다. 살면서 지나가는 무수히 많은 사람들의 성격을 받아들였더니 지금의 내가 되었다.

사람들을 관찰하니 좋은 성격이란 것은 규정되지 않았음을 느꼈다. 어느 특정한 상황에서 도움이 되는 성격들이 존재할 뿐이다. 소심, 활발, 긍정, 비판, 부지런함, 게으름, 똑똑함, 순수함, 끈기, 포기, 상상력, 현실적, 감정적, 논리적 등 많은 성격유형으로 사람들은 조합되어 있다. 이 중에 어느 것 하나도 쓸모없는 성격이 없다. 이 중 끈기와 포기를 보자면 끈기는 무언가 지속할 때 좋고, 포기는 기회비용을 빨리 포착해 결단력이 좋다고 볼 수 있다. 모든 것은 양면성이 있다. 그래서 모든 성격 유형에서 장점을 찾아 그 부분만 배우도록 노력했다. 내 성격을 규정한다는 것은 발전을 멈추는 것과 같다. 자의식에 빠지지 않고 바깥에 있는 다양성을 배우는 것을 선택했다.

그러다 보니 내 성격은 이것도 저것도 아닌 '중간 성격'을 가지게 되었다. 한편으로는 '극과 극의 성격'을 동시에 가졌다고 볼 수 있다. 누군가는 나에게 소심하다고 하고, 누군가는 활발하다고 한다. 또 말이 없을 때는 입에 거미줄이 쳐질 때까지 하루 종일 한마디도 하지 않는다. 그러다가 어떨 때는 10시간 이상 말 만할 수도 있다. 주위 사람들이 나보고 열정적이다는 말을 자주 하는데 사실 이것 또한 내 일부분일 뿐이다. 나는 취업을 준비할 때 2년 동안의 무기력증에 시달린 적이 있다. 그때는 하고 싶은 것을 못 찾아서 삶의 의욕이 없었다. 그러다 하고 싶은 일이 생긴 지금은 자투리 시간도 과업을 다 정해놓을 만큼 바쁜 삶을 살고 있다. 곁에 있는 사람에 따라, 처한 상황에 따라 다른 성격들이 발현되었지만, 어느 것 하나도 소중하지 않은 순간이 없다. 모든 순간이 다 나였다. 그래서 그때 그 순간에 내가 한 모든 선택을 응원하기로 했다.

오팔이라는 돌은 내리쬐는 빛과 각도에 따라 색깔이 바뀐다. 원하는 '색깔=성격'을 내기 위해선 '빛=환경'과 '각도=관점'이 중요하다. 혹시라도 여러분들이 자신의 성격을 비관적으로 바라본다면 이 환경과 관점을 바꿔 보길 바란다. 이걸 한 번에 바꾸는 쉽고 간편한 방법이 있다. 바로 독서이다. 책을 통해 수많은 사람들의 생각과 관점을 받아들여 보는 것을 추천한다. 그러면 스스로 걸고 있는 제한이 사라진다. 제한이 사라지면 내가 원하는 것도 얻을 힘이 생긴다. 이렇듯 받아들이는 자세로 목표를 달성하는 것이 내가 살아가는 방식이다.

아홉 번째 보물,

사파이어(Sapphire) : 깨달음의 돌

사파이어는 혼의 보석이라고 불리며, 진실과 불변을 상징하는 돌이다. 중세 시대에는 주로 성직자의 반지에 쓰였다고 한다. 그래서 이번 글의 주제는 깨달음이다. 나는 명상을 하면서 깨달음을 얻으면 거기에 갇히지 않기 위해 더 큰 깨달음을 추구하는 편이다. 그런데도 지금까지도 깨지지 않는 깨달음에 대해 소개해 보려고 한다.

깨달음이라는 것은 질문에 대한 답이다. 답을 얻기 위해선 질문이 먼저다. 나는 세상에 이런 질문을 던졌다. '나는 무엇입니까?'와 '이 세상은 무엇입니까?'였다. 이 질문에 대한 답은 이렇다. '세상은 경계와 비경계로 이루어져 있다. 그리고 비경계에서 경계를 만드는 존재는 관찰자이다'라고 답을 받았다. 경계는 우리가 구분 짓는 모든 것, 비경계는 태초의 상태, 관찰자는 세상을 인식할 수 있는 모든 존재를 의미한다. 지나가는 개미부터 신까지 말이다. 관찰자 의식의 크기가 작을수록 경계의 영역은 협소하다. 볼 수 있는 영역보다 보지 못하는 영역이 크다는 의미다. 그래서 우리에겐 비경계인 영역이 신한테는 경계의 영역이기도 하며 그 반대인 경우도 있다. 관찰자들에 의해 비경계와 경계영역이 서로 혼합되어 이 세상을 이룬다.

단어들에 좀 더 자세히 들어가 보겠다. 경계는 우리의 자아이며 관념이다. 자아가 생긴다는 것은 틀이 생긴다는 것이고 틀 안에 있는 것과 밖에 있는 것을 구분하게 된다. 그 상태로 세상을 보면 모든 것이 구분된다. 예를 들어 유와 무, 삶과 죽음, 가지고 있는 것과 없는 것, 나와 너, 남과 여와 같은 구분이 있다. 경계의 힘이 관념들에 의해 중첩되면 허상에서 실제의 세계가 만들어진다. 허상인데 그 허상의 힘이 개인의 관념보다 강해지면 실제가 된다는 의미이다.

반대로 비경계는 자아가 없거나 흐려진 상태이다. 난 이 상태가 되기 위해서 두 가지 방법을 자주 쓴다. 첫 번째, 오감을 극대화한 후 다 없애는 것이다. 최소한의 촉각만 두고 모두 없앤다. 무수히 많은 전기적 상호작용을 차단함으로써 경계선을 흐리게 할 수 있다. 두 번째, 자연 합일이다. 우리는 죽어서 우리 몸을 이루고 있는 원자들이 소멸하는 것이 아니라 자연에 동화된다. 여기서 나라는 존재는 사라지며 하나의 거대공동체 일부분이자 전체로서 감각을 가지게 된다. 우리의 몸을 구성하는 원자는 죽기 전에도 순환을 반복한다. 애초에 우리도 자연이기 때문이다. 단지 이 감각을 더 극대화하여 본질에 가까이 다가가 보는 것이다.

처음에 이 두 가지 힘을 다룰 수 있는 것은 관찰자라고 설명했다. 그래서 관찰자 중의 하나인 우리가 이 힘들을 어떻게 활용할 수 있는지 살펴보겠다. 나 같은 경우 경계의 힘은 확신을 가지고 싶을 때 사용한다. 목표설정을 하고 이미 내 것이 되었다고 생각한다. 경계의 힘은 세상에 하나의 원을 그리는 것과 같다. 그 원 안에 있는 것들은 모두 내 영역이 된다. 주의해야 할 점은 2가지다. 첫 번째, 빈틈없이 원을 그리는 것이다. 두 번째, 원의 위치와 크기를 변동시키지 않는다. 빈틈없는 원을 보며 목표상태에 있다는 것에 일말의 의심도 하지 않으며 확신을 가진다. 또 원의 크기와 위치의 고정으로 목표의 수치, 기간, 내용이 확정이 된다. 원의 중심점이 가장자리에 닿게 되면 그 원을 키워낸다는 감각으로 나를 키워 나간다.

비경계의 힘은 다양성의 돌 오팔 에피소드에서 나온다. 바로 받아들이는 힘이다. 양의 세계와 음의 세계를 받아들여 본다. 그러면 제로에 가까운 상태가 된다. 이 본질 상태에 도달하면 내가 살아 있든, 죽어 있든 같은 상태라는 것을 알게 된다. 죽음에 대한 두려움마저 사라지니 세상을 살아갈 때에도 두려워할 것이 없어진다. 이 힘으로 세상의 편견을 지워 배움의 자세로 사람들의 생각을 받아들이기도 한다. 진정으로 받아들일 때 상대방을 설득할 힘도 생긴다.

이렇듯 경계로 목표의 선을 긋고, 비경계로 편견의 선을 지운다. 내가 세상이라는 도화지에 인생이란 그림을 그려 나가는 방식이다. 그리고 이 선을 긋고 지울 수 있는 순간은 현재이다. 현재는 우리가 자유의지를 가지고 선택이라는 것을 할 수 있는 순간이다. 선택하지 않는 삶은 타인이 정해 놓은 그림에 흘러가는 삶이다. 나는 내가 원하는 인생을 살기 위해 모든 것을 선택한다. 아침에 일어나 출근을 하는 선택, 하늘을 보는 선택, 공부를 하겠다는 선택, 오늘은 아무것도 하지 않고 쉬겠다는 선택, 이 모든 선택이 내 세계를 이룬다. 그래서 오늘 나는 글을 쓰기로 '선택'을 했다.

열 번째 보물,

자수정(Amethyst) : 평화의 돌

자수정은 '술에 취하지 않게 하는 힘'이라는 뜻을 가지고 있다. '술 취하지 않음'은 '총명함을 잃지 않음'이라는 의미로 전해져서 교황의 반지로 쓰인다. 그 후에 현재의 '마음의 평화'라는 의미로 쓰이게 된 돌이다. 평화는 내가 세상에 원하는 단 한 가지의 유일한 요소이다.

10년 전 겨울 교회를 다니던 시절이 있었다. 그때 전도사님이 학생들에게 물었다.

"새해에 원하는 게 있나요?"

그러자 옆에 친구들이 학업, 취업, 인간관계 등 자신이 원하는 것을 말했다. 나는 아무리 생각해도 원하는 게 없어서 답하지 않았다. 전도사님은 내게 어떠한 것이든 기도를 해주겠다며 재차 물으셨다. 그러자 다른 사람의 시선들이 내게 쏟아졌다. 나는 결국에 답했다.

"저는 마음의 평화요. 이것 말고 다른 것은 원하지 않아요."

혼자 너무 진지하게 답했다. 주위 모든 사람이 그 말이 참 나다운 것 같다고 웃었다. 그때 다른 사람은 웃었지만 나는 진심이라서 안 웃었다. 나는 기도를 해서 원하는 걸 하늘에 말하는 게 싫었다. 노력해서 얻어야지, 왜 도움을 받으려고 하는지 이해를 못 했다. 그래도 그나마 원하는 것을 말하자면 주는 존재도 부담이 없으면서, 나 자신에게도 큰 도움이 되는 내면의 평화를 말했다. 내가 내면의 평화를 좋아하는 이유는 두 가지이다. 첫째, 사람의 몸을 가지고 사는 기간이 너무 짧은데 이 짧은 기간이라도 평화롭게 지내고 싶었다. 둘째, 세상이 너무 시끄러웠다. 뉴스를 보면 매일 정치 싸움과 사고가 끊이지 않았다. 나부터 시작하여 세상도 평화롭길 바랐다.

그때로부터 10년 후인 지금은 더 혼돈에 빠졌다. 세계적으로는 전쟁이 끊이지 않는다. 당장 우리나라만 봐도 믿을 수 없는 사건들이 끊임없이 뉴스에 보도되고 있다. 또 사람들이 서로를 헐뜯는 데에 혈안이 되어 있다. 이러한 세상 속에서 누군가 한 명은 평화를 기원한다. 그리고 더 나아가 여러 사람들이 같이 평화를 기원했으면 한다. 평화는 고요한 세상을 단어로 정의한 것이다. 거센 파도는 서로 굳세게 얽혀 있는 방파제에 부서져 결국엔 고요한 바다가 된다. 방파제가 서로에게 얽혀서 파도를 부수는 것처럼 우리도 서로 의지하여 평화로운 세상이 다가오길 희망한다.

마지막 글

여러분 안녕하세요,
처음에 어떻게 글을 쓸지 막막했는데,
시간이 지나 자연스럽게 마지막 글에 도착해 있네요.
이제 제 보물 함을 닫을 시간이 다가오나 봅니다.

잠시, 닫지 말고 멈춰주세요.
완전히 닫기 전에 하나씩 돌들을 둘러봅시다.

처음에 조개의 ‘눈물’이 쌓이고 쌓여 그것을 견뎌낸 돌이 태어납니다.
하지만 애초에 조개는 깊은 바닷속에서 살아서,
밖을 쳐다보아도 앞이 보이지 않는 어둠밖에 없었습니다.

그러다 어느 순간 밀물이라는 ‘변화’를 만나게 돼요.
깊은 바다 속에선 돌을 응원해 주는 밀물도 같이 있었습니다.
밀물은 돌에게 ‘치유’와 ‘용기’를 주어서 세상 밖으로 내보냅니다.
그 돌은 이제 물을 거슬러 온 ‘정신력’으로 다시 어둠속으로 흘러 들어가지 않아요.

이제 그 돌은 완전히 밖에 나왔습니다.
하지만 썰물 속에 빨려 들어가는 ‘다양한’ 돌들을 발견합니다.

그 돌들에 '행복'과 '행운'을 주겠다고 마음먹습니다.
어떻게 줄지 고민하다가 '깨달음'을 얻게 됩니다.
깨달음을 얻은 돌은 다른 돌들과 함께 '평화'로운 바다를 마주합니다.

여기까지 돌멩이와 같은 제 이야기입니다.

모든 돌멩이들은 각자의 고유함으로 인해 보석과 같다고 생각합니다.
그래서 이 글을 읽고 있는 여러분들은 어떤 보석일지 궁금합니다.

생각 많은 돌멩이가 다른 빛나는 돌들을 응원하며 이 글을 마칩니다.

채하

간호사에서 피부 관리사가 된 남자

Prologue

“원장님, 간호사 시절로 다시 돌아가고 싶으셨던 적은 없으세요? 후회 안 하세요?”

뜬금없는 선생님의 물음에 하마터면 이렇게 대답할 뻔했다.

‘음, 매출이 반토막 났을 때? 매출은 떨어졌는데 선생님 월급날이 왔을 때?’

속에 있는 말들은 단전 깊숙이 삼키고 아무렇지 않은 듯 자신 있게 대답했다.

“없어요. 제가 선택한 일이니까.”

선생님은 신기하다는 듯한 표정으로 고개를 끄덕였다. 하지만 완전한 거짓말은 아니었다. 나의 선택을 후회하지 않기 위해 마케팅, 교육, 서비스 등 여러 가지로 노력했다.

선선해지기 시작한 가을 아침, 눈곱만 떼고 책상에 앉았다. 책장을 넘기다가 한 문장이 눈길을 사로잡았다.

‘곧 당신이 죽는다면 하고 싶은 일이 무엇인가?’

한참 생각했다.

내가 곧 죽는다면 뭘 하고 싶을까- 옆에 놓여 있는 볼펜으로 A4 용지에 생각나는 대로 적었다. 가족에게 잘하기, 주변 사람들에게 고마운 마음 표현하기, 책 쓰기.

전혀 생각하지 못했던 책 쓰기가 머릿속에 맴돌았다. 하고자 하면

길이 보인다고 했나. 3년 전부터 알고 있었던 출판사에서 에세이 프로젝트를 진행한다고 알림이 왔다.

'무엇을 쓰면 좋을까?'

신청서를 작성하며 생각했다.

나만 쓸 수 있는 이야기.

간호사에서 피부 관리사가 된 남자는 흔하지 않으니까, 에세이로 담으면 좋을 것 같았다. 누군가에게 도움이 되길 바라며 글을 써 내려가기 시작했다.

Part 1
남자 나이팅게일이 되고 싶었지만

채하야, 간호학과 어떻노

진주에서 보냈던 학창시절의 이야기이다. '나 교통사고 나서 팔 수술함' 친구에게 문자가 왔다. 지인의 교통사고는 처음이라 꽤 놀랬다. 학교를 마치고 병문안을 갔더니 친구가 멋쩍은 미소를 짓는다. 오른팔에 깁스를 하고 환자복을 입고 있었다. 팔다리가 길어서 그런지 환자복이 짧았다. 뺑소니라고 했다. 양심은 있었는지 병원에 데려다주고 도망을 갔단다.

"미친놈 아이가,, 그래도 마이 안 다쳐서 다행이다." 애써 친구를 위로했다. 동시에 며칠 뒤 제출해야 할 한자 수행평가가 생각났다. 누워있는 모습을 보니 안쓰러워 도와줘야겠다는 생각이 들었다. "불쌍하노, 니 한자 숙제 다했나? 내가 해줄게." 친구가 무덤덤하게 말했다. "오...고맙다이."

오래된 친구이기에 크게 내색하진 않았지만, 고마워하는 마음이 느껴졌다. 양팔에 소름이 옅게 돋았고, 찌릿한 전율이 허리를 타고 올라왔다.

친구들이 어려워하던 숙제를 도와줄 때도 이런 느낌이었다. 그때도, 지금도 이 느낌이 참 좋다. 누군가에게 도움을 주면서 느껴지는 이 감각은 마치 보이지 않는 따뜻함이 나를 감싸는 것 같았다.

대학교 지원을 앞두고 고민하고 있었다. "채하야, 간호학과 어떻노" 엄마가 간호사를 권했다. 환자를 돌보는 백의의 천사 나이팅게일. 내가 잘할 수 있을지에 대한 의문이 들었지만, 일하면서 내가 좋아하는 감각을 느낄 수 있을 것 같았다. 그렇게 간호학과에 지원했다.

이 정도밖에 안 되는 존재였나

"너 어디 병원 취업하고 싶은데?" 간호학과 친구들과 있을 때면 자주 등장하는 대화 주제였다. "나는 서울대병원이 제일 가고 싶지. 서울대 못 가도 서울에 꼭 취업할 거다." 내 대답은 늘 같았다. 수능이 끝나고 서울에 놀러 갔던 적이 있었다. 서울 사람들 사이에서 왠지 모를 열정이 느껴졌다. 내가 태어나고 자란 진주는 살기 좋은 도시로 유명했지만, 지나치게 조용하고 평화로웠다. 그 평화로움이 때로는 나를 무기력하게 만들기도 했기에 서울로 취업하고 싶었다. 서울에서 느꼈던 열정들을 다시 경험하고, 그 속에서 나를 더 발전시키고 싶었다.

취업 시즌이 왔고 호기롭게 서울에 있는 대학병원에만 지원했다. '합격자 명단에 없습니다. 귀하와 함께하지 못해서 유감입니다.' 현실의 벽에 부딪혔다. 서울의 큰 병원들은 채용 전형이 4차까지 있었는데, 최종 면접까지 보고도 여러 번 떨어졌다. '이유라도 좀 알려 주지.' 이유도 알려 주지 않고 탈락시키는 병원에 화가 났다. 내가 이 정도밖에 안 되는 존재였나 싶어 나 자신에게도 화가 났다.

그 당시 병원 최종 합격 후 1년 정도 뒤에 입사하는 것이 보편적이었다. 대기하는 동안 캐나다에 워킹홀리데이를 가면 좋겠다 싶어 지원했었다. 수월하게 캐나다 워킹홀리데이 비자가 나왔다. '캐나다로 가야 할 운명인가?' 면접에서 계속 떨어지자, 운명론만 들먹였다.

어느 날, 모르는 번호로 전화가 왔다. "안녕하세요. 선생님 서울대병원이에요 3월부터 출근하세요." 순간 너무 놀랐다. "잠시만요, 며칠만 시간을 주세요." 캐나다도, 원하던 병원도 가고 싶었기 때문에 고민이 되었다. 며칠 뒤 전화를 걸었다. "선생님 저 3월부터 출근하겠습니다." 그렇게 10개월 내내 불합격했던 나는, 일찍 합격한 친구들보다 빠르게 입사하게 되었다.

흉부외과 간호사

입사 후 처음 발령받은 곳은 흉부외과 수술실이었다. 심장과 폐를 직접 볼 수 있어 신기했지만, 작은 실수로 수술이 잘 못 될 수도 있기에 조심스러웠다. 그리고 언제 발생할지 모르는 응급 수술이 큰 부담으로 다가왔다. 흉부외과 응급 수술은 새벽에도 생길 수 있어 폰을 항상 베개 옆에 두고 잤다.

어느 날 새벽 2시 15분, 병원에서 전화가 왔다. "선생님, 지금 응급수술 생겨서 병원 오셔야겠어요." 급히 준비해서 병원으로 갔다. 도착하니 상행 대동맥박리 환자가 수술실에 누워있었다. (대동맥은 심장에 직접 연결되어 있는 큰 동맥혈관으로, 전신으로 혈액을 내보낸다. 상행 대동맥 박리 시 초기 사망률이 시간당 1%, 24시간 이내 치료하지 않으면 사망률이 약 25%로 위급한 상황이다) 가슴을 열고 뛰는 심장을 인공심폐기에 연결하며 수술이 시작되었다. 박리된 부분이 생각보다 넓었다. 심장이 부은 탓에 시야 확보가 잘되지 않았고, 교수님들이 애를 먹었다. 나는 교수님들의 지시에 따라 시야를 확보하고, 수술이 순조롭게 진행될 수 있도록 도왔다. 박리된 대동맥을 잘라내고 인조 혈관으로 교체했다. 오전 8시쯤 되었을까. 무사히 수술이 끝났고, 환자는 중환자실로 옮겨졌다. 사명감이 없다면 할 수 없을 것 같은 이 직업. 한 생명을 살렸다는 생각에 왠지 모를 뿌듯함이 있었다. 그 생각도 잠시 긴장이 풀리자, 졸음이 쏟아졌다.

Part 2
새로운 직업을 찾아서

내가 진정 원하는 삶은 이게 아닌데

“이번에 남자 선배님이 정신과 병동 파트장(수간호사) 되셨대.” 정말 오랜만에 듣는 남자 선배의 파트장 임명 소식이었다. 축하하는 마음이 일었지만, 동시에 이런 생각이 들었다. ‘10년 뒤에 나는 어떤 모습일까, 지금의 나와는 뭐가 다를까?’ 크게 다르지 않을 것 같았다.

병원에 처음 입사했을 때, 나이팅게일이란 날개를 달고서 닿을 수 있는 곳까지 가고 싶었다. 더욱 발전적인 삶을 살고 싶어 서울에 취업했지만, 내 현실은 우물 안 개구리 같았다. 의사의 지시를 받아야 했고, 어떤 일을 창조하기보다 규정에 따라야 했다. 병원이라는 둘레 안에서 답답함과 한계를 느끼고 있었다. ‘환자를 간호하는 것은 멋진 일이지만, 정말 이게 내가 원하는 삶이 맞나.’ 마음속 깊은 곳에서 울려 퍼지는 질문은 사라지지 않았다.

“야 내 뭐하면 잘할 것 같은데.” 오랜만에 만난 친구에게 물어봤다. “너? 카페 어떤데? 깔끔하고 꼼꼼한 이미지라 잘 어울릴 것 같아.” 카페도 생각해 본 목록 중 하나였다. 카페 아르바이트를 6개월 정도 한 적 있는데, 별 감흥은 없었다. 카페 사장이 되고 싶진 않았다.

문득 그때가 떠올랐다. TV에서 남자가 눈썹을 깎고 팩하는 것을 보며 따라 했었던 어린 시절. 외모 가꾸는 데 흥미를 느껴 귀도 뚫어보고, 여러 가지 색깔로 염색도 했었다. 그러다 중학교 3학년 때, 미용고를 가고 싶다고 엄마를 엄청나게 졸랐었다. 하지만 엄마의 반대로 가지 못했다.

이루지 못한 꿈에 대한 미련 때문이었을까, 미용에 도전하고 싶어졌다. 그중에서도 피부 미용이 하고 싶었다. 사춘기 여드름으로 스트레스를 받은 적이 있었는데, 성인이 되고는 잘 관리해서 피부 좋다는 이야기를 많이 들었다. 간호학적 지식과 나만의 노하우를 결합하여, 다른 사람의 피부를 건강하게 해주면 좋을 것 같았다.

며칠간 고민 끝에 엄마에게 전화를 걸었다. "엄마 나 미용해야겠어." 의논보다 통보에 가까운 말이었다. "갑자기 무슨 말이고? 잘 다니던 직장을 두고 니가 제정신이가?" 엄마는 어이가 없다는 듯한 말투로 전화를 끊어버렸다.

며칠 뒤 파트장님(수간호사)을 찾았다. 빨갛게 상기된 얼굴로 말했다. "파트장님 저 다음 달까지만 일하려고 합니다." 파트장님이 이유를 물었다. "하고 싶은 일이 있어서 이제 시작하려고요." 갑작스러운 퇴사 소식에 다른 간호사들이 찾아왔다. 사직 이유를 묻는 선생님들에게도 하고 싶은 일이 있다고 둘러댔다. 솔직하게 말하고 싶은 마음도 살짝 올라왔지만, 돌아오는 말들이 내 의지를 꺾을 것 같아 입을 닫았다. 그렇게 벚꽃이 새순을 피울 무렵, 병원을 그만두었다.

미친놈, 간호사를 때려치운다고?

학원을 알아보기 시작했다. <한 달이면 충분합니다! 국비 지원 미용 자격증 100% 합격!> 인터넷에 광고가 가득했다. 신중하게 비교한 끝에, 가격이 제일 합리적인 미용학원에 등록했다. 그 때문인지 준비물을 놓을 공간조차 없었다. 캐리어를 이고 지고 수유에서 강남까지 매일 오갔다.

“남학생이 혼자 잘 다니네. 열심히 해봐요.” 피부 선생님께서 웃으며 응원을 보내주셨다. 그렇게 3주가 흘러 필기시험에 합격했고, 순조롭게 진행되는 듯했다. 그런데 실기 시험을 마무리하던 무렵, 서울 실기 시험 일정이 두 달 뒤라는 걸 알게 되었다. 늦게 시작했다는 생각에 마음이 급한데, 두 달을 기다릴 수 없었다.

피부미용실기 시험 날짜를 인터넷에 검색했다. 가장 빠른 시험은 대구에 예정되어 있었고, 급하게 접수를 했다. 3주 뒤 가방을 메고, 캐리어를 끌며 대구로 갔다. 대구까지 왔는데 떨어지면 절대 안 된다는 마음으로 실기 시험을 쳤다.

‘다행이다.’ 결과는 합격. 피부미용사 면허증을 취득했다. 오랜만에 느껴보는 성취감이었다. 동시에 간호학과를 졸업하고 병원에 갓 취업한 내가 떠올랐다. 그때와 지금이 다르지 않다는 생각이 들었고, 교육을 받기 위해 여러 플랫폼을 뒤졌다.

구미에 있는 꽁쌤에게 배우기로 했다. 왜냐하면 영상으로 본 선생님은 믿음이 갔고, 나를 잘 가르쳐 주실 것 같은 느낌이 들어서였다.

구미에 처음 간 날, 꽁쌤이 말했다. “미친놈이네. 남들 다 부러워하는 간호사 땔 치우고 피부를 한다꼬?” 순간 당황했지만, 어쩐지 웃음이 났다. 엄마가 나에게 하고 싶었던 말이 아니었을까 싶었다. 밝고 자신감 있는 꽁쌤의 목소리는 이상하게 푸근했다.

꽁쌤은 내가 몸소 느껴볼 수 있도록 피부관리부터 해주셨다. 내가 그동안 받아왔던 피부관리와는 차원이 다르다는 것을 느꼈다. 그리고 꽁쌤이 나의 피부관리 모델이 되어 피드백을 주셨다. 잘한 부분과 부족한 부분을 세심하게 알려주셔서 이해가 쉬웠다.

"채하야 무엇보다 실력이 가장 기본이다이! 제품, 기계 욕심부리지 말고 하나씩 임상 내면서 해라이." 꽁쌤의 말씀에는 진심이 묻어났다. 제자가 잘되길 바라는 꽁쌤의 가르침이었다. 그렇게 나날이 성장했고, 창업을 준비하기 시작했다.

퇴폐 업소 아닙니다

"다른 상가 없을까요? 위치는 좋은데 엘리베이터가 없어서 안 되겠어요." 공인중개사 아주머니께 말했다. 샵을 오픈하기 위해 엘리베이터와 내부 화장실이 있는 깔끔한 상가를 찾고 있었다. 시끄러운 업종이나 냄새가 많이 나는 음식점도 없어야 했다. 주차장이 있으면 좋지만, 서울에서 주차장 있는 상가는 흔하지 않아 우선순위는 아니었다.

여러 곳을 살펴보았다. 그중에 수유역의 상가가 제일 괜찮았다. 네일 샵과 두피 샵이 있는 곳으로, 한 층을 혼자 사용할 수 있는 곳. 엘리베이터도 있고 내부 화장실도 있는, 주차장은 없으나 근처에 구청 공영주차장이 있었다. 스스로 합의했다.

며칠 뒤, 부동산에서 건물주 부부를 만났다. "퇴폐 업소는 아니죠? 퇴폐 업소면 바로 나간다는 조항도 추가할게요." 얼굴이 빨개졌다. '남자가 피부미용 한다고 그렇게 생각하는 걸까요?' 순간 입 밖으로 나오려던 말을 꾹 삼키고, 상가 계약서에 서명했다. 남자 피부 관리사에 대한 인식이 부정적인 것 같아 화도 나고 안타까웠다. 내가 노력해서 사회적 인식을 긍정적으로 만들어야겠다는 생각이 들었다.

신경 쓰이는 의뢰인

상가 인테리어가 시작되었다. 인테리어를 위한 무상 임대가 없었기 때문에 공사 기간을 단축하고 싶었다. 조급한 마음에 인테리어 공사 첫날, 일찍 상가에 갔다. "...사장님 이거 아닌데요? 저랑 얘기하셨던 분은 어디 갔어요?" 계약서를 작성했던 인테리어 대표는 보이지 않았고, 책임자처럼 보이는 한 남자가 공사를 감독하고 있었다. 계약할 때 얘기했던 내용이 잘 전달되지 않은 것 같았다. "왼쪽 관리실 문은 대각선으로 하기로 했고요. 큰 침대가 들어갈 예정이라 공간이 더 커야 해요." 피부관리실 인테리어도 처음인데 불안함이 몰려왔다. 인테리어 사기도 자주 있었던 때라 매일 와서 확인해야겠다는 생각이 들었다.

공사 기간 내내 아침에는 커피, 저녁에는 빵을 사서 상가에 들렀다. 커피와 빵은 공사가 잘 진행되고 있는지 확인하기 위함과 더불어 신경 써서 인테리어를 해달라는 의미가 내포되어 있었다. 너무 자주 가니까 관리 감독하는 분도, 공사하는 분들도 탐탁지 않은 눈치였다. 공사 관계자들에게 귀찮은 존재였겠지만, 멋진 공간을 만들고 싶은 마음에 매일 들르지 않을 수 없었다. 신경 쓴 덕분에 기한 내 인테리어가 잘 마무리되었다. 그렇게 피부관리실을 열었다.

Part 3
어떻게든 해보자

현실의 벽에 부딪히다

첫 고객이 왔고 피부관리를 진행했다. “음.... 오늘 진행하신 관리는 요,, 피부 장벽을 튼튼하게 하고.. 음... 본연의 힘을 키워주는 관리입니다.” 고객에게 떨리는 목소리로 설명했다. “아 그렇군요.” 고객은 고민하는 듯한 얼굴이었다. 정적이 흘렀다. 생각해 보고 온다는 고객을 마중하며 아무렇지 않은 듯 웃었다. 고객이 나가고 다리에 힘이 풀렸다. 낯선 사람 앞에서 얼굴이 빨개지고, 말도 더듬는 내 모습이 답답했다.

며칠 뒤 심각한 피부 상태를 가진 신규고객이 방문했다. 피부색이 입술처럼 빨갛고, 큰 염증이 양쪽 볼에 가득 있었다. 피지가 많은 지성 피부에 홍조도 있는, 누가 봐도 심각한 피부였다. 지난번보다 상세히 상담하고 최선을 다해 피부관리를 했다. 하지만 결과는 같았다. “다시 연락드릴게요.” 고객은 매장 밖을 나갔고, 허탈함이 몰려왔다. 실력이 부족한 건지, 상담 방식에 문제가 있는 건지 알 수가 없었다. 자책과 의문으로 머릿속이 가득 찼다. 분명 교육을 잘 받았다고 생각했는데, 이론과 실전은 달랐다.

이대로는 안 되겠다 싶어 꽁쌤에게 물어보니 목소리 톤을 높이라고 말씀해 주셨다. 목소리가 낮고 자신감이 없어 보인다고 알려주셨다. 그리고 실력을 높이고자 문제성 피부를 전문으로 하는 원장님들을 찾아 나

섰다. "저를 만나주실 수 있을까요? 교육받을 수 있을까요?" 간절한 마음으로 교육을 문의했다.

그렇게 거제, 부산, 인천, 전주, 서울, 일산 등 전국을 돌아다녔다. 왕복 3시간, 4시간이 걸려도 힘들지 않았다. 상담하는 방법도 배우고, 피부관리 노하우도 배울 수 있었다. 같은 제품이라도 원장님마다 사용하는 방법이 달라서 신기했다. 피부 장벽을 튼튼하게 하는 방법도, 여드름을 제거하는 방법도 원장님마다 특징이 있었다. 그 노하우를 꼼꼼하게 정리했고 친구들과 지인, 내 피부에 테스트했다. 하루에 한 발자국씩이라도 나아가고 싶어 계속 움직였다.

마케팅이라는 또 다른 도전

샵을 오픈한 후, 손님이 많지 않았다. 예상은 했지만 착잡했다. 고객을 유치하기 위해 다양한 마케팅을 시도해 보기로 했다.

먼저 시도한 일은 아파트 광고였다. 포스터를 제작해서 수유 근처의 한 아파트에 갔다. 게시판을 채운 광고 포스터들. 확인 도장과 광고 기한이 적혀 있었다. 휴대 전화로 검색해 보니 아파트 게시물도 광고비를 내야 한단다. 몰랐다. 예전에는 문 앞에 그냥 붙어 있었던 것 같은데 옛날 사람이 된 기분이었다. "안녕하세요, 게시물 광고하려고요." 관리소장으로 보이는 여성분께 말을 걸었다. "일주일에 66,000원이고요. 직접 붙이셔야 해요." 동마다 돌아다니며 포스터를 부착했다. 난생처음 포스터를 붙이며 '피부관리만 잘하면 되는 것이 아니구나.'라는 생각이 들었다.

피부관리실용 인스타그램을 만들었다. 개인 인스타 계정도 잘 하지 않던 터라, 올릴만한 내용이 생각나지 않았다. 문득 일론 대표님과 나누었던 대화가 생각났다. (일론은 에스테틱 화장품 브랜드이다) "원장님은 남자라서 고객들이 어색할 수 있어요. 일기처럼 SNS를 한번 해보세요. 일상을 꾸준히 올려보세요." 그래서 매장을 청소하고 관리실 내 이불을 정리하며, 촬영했다. 촬영한 영상을 보니 목석처럼 행동이 딱딱했다. 그래도 일단 SNS에 올려봤다. 피부관리실 원장님들이 하트를 누르는 걸 보니 이상하지 않았나 보다. 고객들도 이 영상을 보고 좋아하길 바라며, 나의 이야기를 하나씩 적어나갔다.

마케팅할 때, 블로그는 필수라고 해서 부산에 수업을 들으러 갔다. "제목과 내용은 일치하게 쓰세요. 글자 수는 1,000자 이상이 좋고요, 사진은 최소 7장 넣으시고요." 샵 오픈 때 도와주셨던 배 과장님의 블로그 강의가 한창이었다. (현재는 이사님이다) 사진 7장은 가능하겠는데 1,000자는 어떻게 적어야 하는 건지. 머리가 복잡해지는 시점에 옆을 돌아보니 연배가 높은 원장님들도 수업을 듣고 있었다. 우리 엄마보다 나이가 더 많으신 것 같은데, 내가 힘들다고 말하면 안 될 것 같은 느낌이 들었다. 다음 날, 고민 끝에 주제를 여드름으로 정했다. 사람들이 궁금해할 만한 내용을 블로그에 작성하기 시작했다. 여드름과 관련된 사진을 찾고, 정보도 찾았다. 1,000자를 채워야 한다는 점이 부담스러웠지만, 블로그 노출이 잘 돼서 고객이 많이 오면 좋겠다는 생각으로 적어 내려갔다.

유튜브를 시작했다. 오랜만에 만난 동생이 말했다. "형도 유튜브 해봐. 피부 정보 한 번 올려봐." 사업을 시작했다고 하니, 뭔가 도움을 주고 싶은 보양이었다. '유튜브라... 그런 거 못 하는데...' 나는 부끄러움이 많고, 남들 앞에 서면 얼굴색이 빨개지는 사람이었다. 못할 것 같다고 얼버

무렸지만, 마음 한구석이 불편했다. 동생과 헤어지고 집으로 가는 길, 머릿속 생각이 꼬리에 꼬리를 문다. '매장을 알리려면 당연히 해야 하는 것 아니야? 손님이 우리 매장에 오는 것보다 내 부끄러움이 중요할까?' 결국, 유튜브도 도전하기로 마음먹었다.

'유튜브 만들 건데, 채널명 만들어 주실 분? 10만 원 상당의 화장품 드립니다!' 개인 인스타그램에 스토리를 올렸다. 예상보다 많은 답장이 왔다. "깔끔하게 채하 어때? 피부 간호사도 좋을 것 같은데?" 그중에 매력적인 채널명은 두 가지였다. '피부광채하, 잘난채하네.' 잘난채하네가 입에 착 붙었지만, 피부와의 연관성을 강조하고자 피부광채하를 선택했다.

그렇게 유튜브 채널을 만들었다. 두 달간 일상 브이로그를 찍고, 화장품 설명 영상을 올렸다. 친구들의 도움으로 구독자 100명을 만들었으나 한계가 왔다. 그때였다. "원장님, 요새 ASMR 많이 보던데 원장님도 ASMR 해보세요~" 밝은 목소리를 가진 고객님이 웃으며 말했다. '그래, 또 한번 해보자.' 그렇게 ASMR도 시작하게 되었다.

매출의 하락

매출이 급격히 떨어졌다. 계산이 잘못되었나 싶어 다시 정산했지만, 결과는 같았다. 매장이 조금씩 자리를 잡고 있었고, 매출도 안정적이었던 터라 놀랄 수밖에 없었다. 코로나가 끝나고 해외여행이 급증했다는 뉴스를 보았다. 그 때문인가 싶었다. 월세와 제품비를 제외하니 수익이 거의 없었다. 착잡했다. 그래도 잘 되는 매장은 있을 텐데, 마케팅 방식이 문제라는 생각이 들었다. 가만히 있을 수 없어 스파&에스테틱 컨설팅 회사에 도움을 요청하기로 했다.

“대표님~~ 안녕하세요. 잘 지내셨죠!” 밝은 목소리의 서진 대표님이 인사를 건넸다. (서진 대표님은 스파&에스테틱 컨설팅 회사 더마에고의 총괄 디렉터이다) 더마에고 팀원들과도 인사를 나누고 상담실로 들어갔다.

“대표님은 달라요. 다른 원장님들이랑은 매우 다른 사람인데...” 그녀가 말을 멈추고 나를 바라봤다. “예전처럼 대표님만 할 수 있는 이야기를 하세요. 그리고 앞으로는 너무 겸손하기보다 대표님을 조금 더 드러내 보세요.” 서진 대표님의 말에는 진심 어린 마음과 안타까움이 섞여 있었다. 나는 생각에 잠겼다.

돌아가는 지하철에서 SNS를 열었다. 초창기에 올렸던 게시물들을 천천히 살펴보았다. ‘다르네...’ 그때의 나는 내 생각을 자유롭게 쓰고, 느낀 점들을 솔직하게 공유했다. 그런데 지금의 내용은 길을 잃은 듯했다. 다른 샵과 별 차이가 없어 보였다. 나만의 이야기를 하고, 우리 샵만의 특별함을 찾아야겠다고 다짐하게 되었다.

젊은 꼰대

힘들었던 시기가 지나고, 샵이 바쁘기 시작했다. 바빠진 만큼 체력적인 한계가 느껴졌다. 도와줄 직원을 뽑기 위해 채용 공고를 올렸고, 면접을 보기 시작했다.

운동복을 입은 사람이 엘리베이터에서 내렸다. “안녕하세요, 3시에 면접 보기로 해서요." 속마음은 당황스럽지만 웃으며 안내했다. "아, 안녕하세요! 여기 조금만 앉아 계세요." 무엇인가 찝찝했다. 나도 한때는 면접자였다. 면접의 첫인상은 아주 중요하다고 생각했기에 깔끔하게 차려입고 갔었다. 이 사람은 직장이 아니라, 단순 아르바이트 면접을 보러온 것인가 싶었다. 괜찮은 사람인 것 같기도 했지만, 30분의 면접 후 불합격시키기로 했다.

다음 면접자는 호텔 스파 경력이 있었고, 깔끔하게 차려입고 왔다. 말투도 상냥했고, 일도 꼼꼼하게 잘할 것 같았다. "음... 제가요... 두 달 뒤 다른 나라에서 샵을 오픈할 예정이에요." 역시 방심은 금물이라고 했나. 본인 샵 오픈 전에 한 달만 일하면서, 샵 운영 노하우를 배우고 싶다고 말했다. 간절한 표정으로 말했지만, 제정신인가 싶었다. '내가 너무 물러터져 보이나?' 기왕 왔으니까 궁금한 점을 모두 물어보라고 말했다. 매장 운영, 프로그램, 홍보 등 아는 선에서 알려주었다. 그 후에도 여러 번 면접을 진행했고, 다행히 성실하고 야무진 직원을 뽑게 되었다. 자신이 하는 일을 가치 있게 생각한다면 진정성 있는 태도와 자세가 깃들어야 하지 않을까. 직원 채용을 하며 나도 소위 말해 꼰대라는 생각이 들었다.

미숙한 원장

여자 손님이 관리를 진행하면서 하나하나 설명해달라고 했다. 나도 모르게 번거롭다고 생각했지만, 설명했다. "모공을 깨끗하게 하기 위한 딥클렌징을 하겠습니다. 산 성분으로 인해 약간 따가우실 수 있습니다."

관리가 잘 마무리되었고, 고객이 나갔다. 침대를 정리하며 고객이 한 말이 떠올랐다. 피부관리사인 나에게는 당연하고 쉬운 내용이겠지만, 눈을 감고 누워있는 고객은 어떤 제품을 사용하고, 어떤 효과가 있는지 궁금할 것 같았다. 아차 싶었다.

하루는 고객의 회원권이 끝나는 날이었다. (우리 샵은 회원권을 결제하고 방문할 때마다 피부관리 금액을 차감하는 시스템이다) "원장님, 요즘 바빠서 다음에 올게요." 꾸준히 온 고객인데, 느낌이 조금 이상했다. 혹시나 불편했던 점이 있었냐고 물어보니 목 어깨 관리를 할 때, 하나도 시원하지 않았다고 했다. 놀랬다. 관리받는 동안 편하게 주무셔서 만족하는 줄 알았다. 직접 물어보아야 했는데, 내가 놓치고 만 것이었다.

고객에게 관리 설명도 하지 않고, 느낌도 물어보지 않았다니. 아직도 부족하다는 것을 알게 되었다.

피드백을 받은 뒤, 모든 고객에게 관리 설명을 자세하게 했다. 원장님이 알아서 잘해주는 것은 알았지만, 궁금했었다는 고객들도 꽤 있었다. 그리고 관리 전 설문지를 제작했다. 오늘 기분이나 몸 상태는 어떠한지, 받고 싶은 관리는 무엇인지, 바디 테라피 강도는 강 중약 중에 어느 정도를 원하는지. 관리 중간에도 고객 반응을 확인하면서 보완하기 위해 노력했다.

Epilogue
전하고 싶은 말, 앞으로의 계획

트리버에스테틱이라는 피부관리실을 오픈하고, 실제로 경험한 사례들을 작성해 보았다. 직장인에서 사장이 되는 일은 쉽지 않았다. 모르는 것도 많았고, 부족한 부분은 더 많았다. 남자 원장이 운영하는 피부관리실이라 아직도 불편해서 방문하지 못하는 여자 고객도 꽤 있다. 그래도 노력하니까 고객이 오고, 직원까지 채용하게 되었다. 어떤 일에 앞서 오랜 시간 생각했다면, 실천을 통해 성공과 실패를 경험하였으면 좋겠다. 그 경험으로 통계를 작성하고 발전할 수 있기를 바란다. 이렇게 나의 이야기를 작성했지만, 정답은 아니다. 이 글을 읽는 사람들이 자신만의 방법으로 행복한 원장이자 사업가가 되었으면 한다.

앞으로, 꾸준히 실력을 쌓아 더욱 전문적인 피부관리사가 되고 싶다. 직원과 매장을 성장시키는 훌륭한 운영자도 되고 싶다. 다음에 '트리버뮤지엄'이라는 복합문화공간을 만들 것이다. 왜냐하면 피부관리는 피부뿐만 아니라 고객의 기분을 좋게, 행복하게 만드는 일이라고 생각하기 때문이다. 촉각과 후각은 피부관리의 기본 감각이다. 나아가 편안한 소리로 청각을 관리하고 마음의 안정을 주는 예술 작품으로 시각, 몸 상태에 맞는 음료로 미각까지 관리하고 싶다.

구체적으로 압구정 송은 아트스페이스 같은 형태의 피부관리실을 만들고 싶다. 지하 1층은 주차장, 1층은 미술관과 카페, 2층은 피부관리 공간, 3층은 운영 사무실과 교육공간으로 생각하고 있다. 나의 꿈을 듣고

200억짜리라고 꽁쌤이 얘기하셨는데, 꾸준히 노력한다면 할 수 있을 거라고 믿는다.

이 일을 하면서 다시 한번 느낀 점은 함께 도우며 살아가야 한다는 점이다. 우리 관리실을 사랑해 주시는 고객님들, 오픈하고 도와주었던 지인들과 가족들, 특히 친누나. 디자인을 도와주는 희종이, 지금도 도와주고 있는 수십 명의 전문가 덕분에 트리버에스테틱이 유지되고 있다. 다시 한번 감사함을 전한다.

마지막으로 창업 전에 자신에게 물어보길 바란다.

누구보다 이 일을 진심으로 할 마음이 있는가?
힘들다고 포기하지 않을 각오가 되어 있는가?
아름다운 사회를 위해 희생할 각오가 되어 있는가?

피부관리실 창업과 관련된 Q & A

1. 에스테틱 제품 선택에 대한 생각

좋은 제품들이 아주 많은 것은 사실이나, 제품 종류를 너무 많이 사용할 필요는 없다고 생각한다. 피부관리의 원리는 같고 브랜드마다 전문적으로 제품을 만든다. 호기심으로 화장품에 수천만 원의 돈을 써보니 그렇더라. 처음부터 많은 브랜드를 사용하는 것은 추천하지 않는다. 1~2가지 브랜드의 제품을 사용해 보고, 궁금한 것들은 낱개만 구매해서 사용해 보기를 권장한다. 나와 우리 매장 고객들의 피부에 잘 안 맞을 수 있다.

2. 피부관리실 교육과 관련된 생각

피부관리와 관련하여 많은 분이 수강을 진행하고 있다. 수강 선택은 상담 후에 신중하게 선택하길 바란다. 그리고 선택했다면 그분과 함께 설정한 운영 방향을 최소 6개월 이상은 밀고 나갔으면 한다. SNS를 보며 다른 사람이 하는 방식을 보고 흔들릴 수 있다. 이것저것 하다 보면 돈이 많이 나가게 된다. 1인 샵을 운영하는 것도 사업이고 사업에는 운영자금이 보전되어야 한다는 부분을 잊어선 안 된다. 당장 할 수 있는 블로그를 쓰고 피부 임상을 내고, 체력을 위해 운동을 하고 이론 책을 공부하자. 특히 바로 앞에 있는 고객을 위해 온 힘을 다했으면 좋겠다.

3. 내가 본 고객이 많은 피부관리실

먼저, 고객이 많은 피부관리실은 에너지가 높고, 쾌활한 성격의 원장님들이 운영하는 경우가 많았다. 이유를 곰곰이 생각해 보니, 밝은 에너지로 고객의 기분을 좋게 만들기 때문이라는 결론을 내렸다. 효과적인 피부관리는 물론이고, 고객의 기분까지 관리할 수 있어야 하는 것 같다.

그리고 입구에서 밝은 인사와 친절한 응대, 매장에 들어왔을 때 느껴지는 향과 분위기, 상담실이나 대기실에서의 편안한 느낌, 관리사의 세심한 설명과 안내, 침대에 누웠을 때 포근함, 그리고 클렌징부터 케어까지 모든 단계의 섬세한 터치와 적절한 강도. 마지막으로 관리가 끝난 뒤 입구에서 전하는 인사까지- 이러한 요소가 잘 조화된 관리실에 고객이 많았다.

물론 위와 같은 요소가 부족하더라도 잘되는 관리실이 있었다. 뛰어난 상담으로 고객의 마음을 사로잡거나, 피부 임상 전후가 확실하거나, 또는 특별한 매력을 가진 피부관리실이 그랬다.

전국에 수많은 피부관리실이 존재하며, 각자의 저마다의 방식으로 운영하고 있었다. 정답은 없다고 생각한다. 위의 방법을 참고하되 각자의 방식으로 행복하게 운영했으면 좋겠다.

4. 트리버에스테틱을 잘 운영하기 위해 노력한 일

처음에 주먹구구식으로 운영했었다. 매출이 떨어졌거나 미래를 준비할 때, 방법을 찾기가 어려웠다. 그래서 운영을 체계화하기 시작했다. 고정비(월세, 가스, 전기, 인터넷, 수도, CCTV)와 매출, 제품비, 홍보비, 기타 비용을 정리했다. 신규고객의 유입경로, 기존 고객들의 재등록과 이탈 등을 기록하고 수치를 분석했다. 분석을 통해 우리 매장의 실태를 알 수 있었고, 부족한 부분을 채우기 위한 전략을 세울 수 있었다.

브랜드의 철학과 사명, 우리 관리실의 메인 주력 상품을 정했다. 우리 브랜드가 왜 존재하는지, 어떤 것을 해야 하는지, 어떻게 해야 하는지에 대해 작성하였다. 우리 관리실은 문제성 피부를 전문으로 하고 있었다. 하지만 다른 제품과 교육이 좋아 보인다는 이유로, 관련 없는 교육을 듣고 제품을 구매하고 있었다. 그러다 보니 텅 빈 통장이 될 수밖에 없었다. 브랜드의 철학, 사명, 주력 상품을 정하니 불필요한 제품 소비와 교육비를 줄일 수 있었다.

매뉴얼 북을 상세하게 만들었다. 매뉴얼은 고객이 우리 관리실에 왔을 때 인사, 안내 동선, 설명 방법, 케어 안내, 청소 방법, 요일별 할 일 등을 말한나. 오픈할 때 준비해야 할 부분, 마감할 때 무엇을 해야 하는지, 세면대 청소는 어떻게 해야 하는지. 그리고 상황에 따른 고객 응내법, 관리 순서, 주의해야 할 부분 등 초보자가 보더라도 알 수 있게 상세하게 적었다. 매뉴얼을 작성해 두니 빠뜨린 부분을 확인할 수 있었고, 직원을 교육할 때도 도움이 되었다.

트리버에스테틱은 섬세하고 기분 좋은 관리를 하기 위해 노력한다. 고객이 오면 매번 상담을 진행한다. 당일 진행할 피부관리에 대해서 함께 결정한 다음, 관리실로 안내한다. 처음에는 관리할 때 얼굴만 관리했으나 목 어깨(데콜테) 관리도 포함해서 같이 하고 있다. 관리 효과도 높고, 좋은 기분을 전달하는 데 도움이 된다고 느꼈기 때문이다.

고객이 사용하는 공간은 최대한 깔끔하게 유지하고 있다. 매일 해야 할 대청소 리스트를 만들어 두고 실천한다. 고객님이 나가고 나면 매번 청결 상태를 확인한다. 침대의 온도, 관리실 먼지, 바닥의 머리카락, 화장실의 오염물 자국, 신발 정리를 주로 한다. 공간의 분위기를 위해 재즈나 자연 소리를 틀어놓고 있으며, 숲 향과 달콤한 향으로 세팅해 두었다.

5. 1인 사업가의 장단점

1인 피부관리실로 운영하면 정해진 규칙 안에서 자유롭게 일할 수 있고, 급한 일이 있을 때 미리 조절할 수 있다. 누구의 간섭을 받지 않아도 되며, 새로운 시도를 편하게 해볼 수 있다. 하지만 고객의 피부가 혹여 뒤집어지지 않을까에 대한 걱정이 있고, 매출이나 미래 방향에 대해서 지속적으로 고민해야 한다. 병원에서 일할 때는 조직원으로 한 분야만 맡아서 일했다면, 지금은 조직원으로도 일하며 필요한 물건 구매부터 비용 처리까지 모든 일을 도맡아 하고 있다. 그만큼 책임감이 커졌고, 쉴 때도 온통 일 생각으로 가득 차 있다. 어떤 일이든 쉽거나 어려운 부분이 존재하기에 받아들이고 나아가는 중이다.

6. 간호사의 시선에서 바라본 피부미용의 미래

피부 관리사 자격증 취득이 지금보다 전문적으로 바뀌어야 한다고 생각한다. 개인적인 생각으로 너무 쉽고 아무나 취득할 수 있다. 충분한 실습 시간을 거친 다음 자격증 발급을 하는 것이 맞다고 생각한다. 사람의 몸을 만지고 피부를 다루는 직업인데 제대로 된 교육이 필요하다. 건강이 중요해지고 사람들의 인식이 높아진 만큼 미용에 대한 수요가 높아질 것으로 생각한다. 거기에 맞춰 미용인들이 전문화되어야 한다. 실제로 일을 해보니까 자격증만 따서는 절대 안 되겠다는 생각이 든다. 다양한 피부 유형이 있고 특성이 달라 항상 조심해야 한다. 피부관리실에서 관리를 받고 피부가 손상되었다는 이야기도 종종 듣는다. 그런 부분이 생기지 않도록 미용인들이 노력했으면 한다.

Youtube 피부광채하, 잘난채하네

Instagram @skinnurse_triver

Blog blog.naver.com/chaehas

Mail 01099155991@naver.com

진실하게 빛나다

잃어버린 기억을 찾다

진짜 글을 고민하다

책에 갇힌 아이

통제 받지 못한 호기심

나를 찾아가는 고통

글을 쓰는 진짜 이유

소망은 희망으로

잃어버린 기억을 찾다

글을 잘 쓰고 싶다는 것은 나를 포함한 많은 이들의 "소망"이다.

그러면서도 쉽게 쓰는 방법을 찾아보는 얄팍한 인간의 마음을 배제하지 못한다.

진짜 글을 고민하다

2024년은 여름이 길었다. 그래서 겨울이 오지 않을 것 같다고들 했다. 낙엽이 져야 하는데 여전히 초록색 짙은 가로수 나뭇잎 덩어리에 누군가 노란색 포스터물감을 거칠게 점점이 터치해 놓았다. 간혹 내리는 비에도 응당 떨어져 '바닥에 딱 붙은 낙엽'의 진수를 보여줘야 하는 그들이 나뭇가지에 매달려 고집을 부리던 11월 둘째 주부터 에세이 프로젝트를 시작했다.

첫날 첫 대면이지만, 그동안 근황이 궁금했던 만나지 못한 지인을 만난 듯 내 이야기와 질문을 쏟아냈다. 글이란 건 막상 어떤 내용을 쓰자고 생각한 후 시작하려고 하면 무엇부터 써야 할지 막연해진다고. 쓸 얘기가 너무 많아 내용을 다 쓰자니 온 세상을 다 구경하다가 끝나지 않을 것 같다고 말이지. 원래부터 글 쓰는 것을 좋아했나? 전공이 무엇인가? 무엇이 잘 쓴 글이라고 판단하는가? 어떻게 글쓰기를 시작했나? 뭐부터 쓰다 보니 이렇게 출판사 차리고 프로젝트를 할 수 있게 되었나? 직원 뽑는 면접도 아니고 초면에 질문이 너무 많았다.

생각보다 너무 어려 보이는 출판사 대표의 얼굴 때문에 당황스러웠다. (마케팅에 속은 건가?) 출판사 대표가 모 연예인과 닮았다고 멤버들이 말하는 탓에 콩깍지가 씌어서 보면 볼수록 닮아져 갔다. 덕분에 신뢰도 생기고 대화가 즐거워졌다. 이렇게 프레임이 중요하다. 그는 나이가 어려 보여도, 문학을 전공하지 않았어도, 그만큼 직접 써보지 않으면 고민하지 않으면 지도(사사) 받지 않고는 말하지 못하는 깊이감이 있었다. 누구나 노력하면 넘어갈 수 있는 선과 남들보다 더해야 넘어갈 수 있는 선, 그 선의 경계 넘어 있다는 것이다. 그 선의 경계를 나도 체감해 보리라.

에세이를 위해 모인 다양한 연령대의 다섯 명은 직업도 성향도 생활 패턴도 사는 곳도 너무나 다른, 어쩌면 이렇게 특이한 조합이 있을까 싶었다. 그래서 편했을까? 처음부터 어색함이 별로 없었다. 우리들이야말로 독자의 대표다. 그러면서 곧 작가이기도 하다. 하나의 요소 또는 현상을 보면서도 다섯 명의 표현 방법, 문장 내용과 색은 완전히 달랐다. 다양성에 공감하고 배우면 되는데 여전히 나만의 특성을 보지 못하고 남의 밥그릇만 더 커 보였다.

전체 과정 중 프로젝트 참가자들 간에 초고를 공유하고 감상평을 나누는 시간이 있다고 안내를 받았다. 급 똥 마려워 밖에 나가자고 현관 앞에서 맴을 도는 반려견의 심정이 격하게 공감되었다. 지금도 다시 생각해 보면 너무 쑥스럽고 마음 한편이 간질거려서 왼쪽 가슴을 스읔스윽 긁어 보는데 어디가 가려운지 정확하지 않다. 어떡하지? 정리되지 않아 볼 때마다 짜증 나는 이 글을 내가 들어도 가식적으로 들리는 내 목소리로 공유한다? (이것도 오글거린다) 감상평은 감상하고 나의 생각을 나누라는 말인데 피드백하려면 기본이 '경청'이고 '공감'을 바탕으로 내용까지 기억해야 가능한 작업이다. 신나는 추리소설이나 뇌리에 콱 박히는 괴담도 아닌 내 평범한 일상을 어떻게 집중해서 듣고 무엇을 감상하여 느낌을 나누라는 것인지. 아! 이건 좀 피하고 싶다. 그냥 책 표지 어디쯤 여러 사람의 이름 중 하나가 내 이름이면 그 쑥스러움과 머쓱함이 좀 덜할 텐데, 내 목소리로 가감 없이 드러내 공유하기란 쉽지 않다. 그렇게 자백에 사로잡힌 아마추어가 한 번에 벌가벗겨져 눈 둘 데 없이 황망한 상황을 결국 마주했다. 그렇게 자존심이 어디 있는지 알 수 없을 만큼 바닥을 내리찍고 오를 듯 말 듯한 KOSPI 주가처럼 조금씩 성장을 시작했다.

결국 초고로 썼던 일곱 페이지의 글 형식을 살리되 내용 절반을 버리고 순서를 뒤집었다. 이 또한 중간에 컨설팅을 받고 망연자실, 다 버려야 하나? 나 때문에 프로젝트를 망칠 수는 없는데... 바쁘기도 했지만 스스로 실망스러워서 한 주간동안 꺼내보지도 않았다. 후배들에게는 한걸음 물러서서 보라고 메타인지(Metacognition) 어쩌구, 헬리콥터 뷰(helicopter view) 등 그렇게 잔소리를 해댔으면서 난 왜 그리 바닥만 바라보며 헤매고 있었을까. 그리고 처음부터 다시 쓴다는 생각으로 노트북을 열었다. 이젠 맘 편히 손 가는 대로 쓰는 게 아니라 진지하게 써보자. 무엇을 기록하고 싶은가.

책에 갇힌 아이

장사를 하셨던 엄마의 적극적 지원 덕분에 어릴 적 또래보다 많은 책을 읽을 수 있었다. 당시 월부(요즘의 무이자 할부와 같은 개념)는 책을 들여놔 주기에 안성맞춤의 경제 개념이었다. 먼저 구매한 전집의 월부가 끝나면 새로 전집을 들여오면서 다시 월부가 시작되는 방법이었다.

집이 좁아 세 딸이 안방을 공유하다 보니 교과서 외에는 방에 책을 둘 수가 없었다. 이 때문에 아파트 베란다에 책을 들여오는 대로 박스를 앞으로 열 수 있도록 하여 층층이 쌓아 두었다. 그렇게 책 박스를 열고 읽을 책만 여러 권씩 꺼내 읽은 후 다시 꽂아 넣는 우리집만의 도서관시스템을 갖추었다. 베란다 양쪽 측면과 거기로부터 빙 둘러서 시계방향으로 책이 담긴 박스가 놓여 있었다. 그나마 엄마의 항아리 몇 개만이 왼쪽 일부 공간을 차지했다. 딸을 위해 엄마의 자리를 많이 양보한 셈이었다. 마치 집안에 책 창고를 만들어 주신 것이다. 이렇게 쌓아 둔 책을 읽고 읽다가 나중에는 덤으로 주었던 국어대사전까지 읽어댔다. 기억해 보면 이런 사전은 마치 법정 드라마를 볼 때 판결하는 중요한 날, 줌 인 처리하는 대단히 두꺼운 법전을 생각하면 된다. 내가 들고 다니기엔 너무 무거워 그대로 책더미 위에 펼쳐두고 쭈그리고 앉아 읽었다. 사전의 특성상 단어 한 개의 설명을 읽다 보면 그 안에 호기심이 생기는 단어가 보이고 또 그 단어를 찾아서 읽고, 또 찾고 하다보면, 시간이 어떻게 가는 지 모르고 지나갔다.

베란다 유리 너머 아래편에서 아이들 목소리가 간간이 들려오지만 이내 귀는 닫히고 만다. 켜켜이 쌓인 책 사이에 파묻혀 아파트 베란다 창살 사이로 가만히 들어오는 봄 햇빛, 햇빛 사이로 스미는 바람과 습기를 머금은 종이 냄새가 코끝에 아련하다. 정확하게 맡아보려고 크게 숨을 쉬어 보면 현실에서 떠도는 짙고 다양한 냄새만 진동한다.

어느 순간 난 책을 읽기 위해 태어나 살고 있는 것만 같았다. 학교 외에 동생들을 내가 돌볼 필요가 없는 시간은 늘 손에는 책을 들고 다녔다. 심지어 밥상 앞에서도 책을 가지고 가서 식사하면서도 옆에 책을 놓고 읽는 모습을 보고 부모님은 흐뭇해하셨다. 그런 반응이 책을 읽는 행동을 강화한 것이라는 생각이 든다. 사실 동생들은 내가 읽던 책들을 별로 좋아하지 않았던 것 같았다. 아니 잘 기억나진 않는다. 관심이 없었던 걸까, 나를 중심으로 내가 주도한 일 이외에는 동생들과의 추억이 잘 기억나지 않는다. 주로 나는 베란다 책 박스나 침대 이층에 올라가 있었다.

책과 현실은 간간이 시공간을 혼용했다. 알렉스 헤일리의 뿌리를 읽을 때는 심각한 노예제도와 함께 그들의 고통이 현실감 있게 느껴져 밤이 되면 내가 흑인들처럼 끌려갈 것 같아 아파트 건물 밖으로 나가길 꺼려졌었다. 누군가 추격을 해오니 우리가 도망가야 한다고 상가건물 2층 창문에서 1층 테라스로 겁도 없이 뛰어내렸다. 아직 학교도 들어가지 않은 어린 동생은 나를 따라 뛰어내리다가 바닥에 머리를 박아 기절하기도 했었다. 칼 세이건의 코스모스는 들여다보기만 해도 뇌가 한계 없이 커지는 느낌의 아름다운 행성 사진과 설명자료들로 가득했다. 반짝거리는 검은 표지는 너무 멋져서 표지가 너덜거릴 때까지 그 두꺼운 책을 가방에 넣고 다녔다. 1984년쯤 서울 밤하늘은 짙은 물미역 색이었고 총총히 박힌 다이아몬드 별들은 계절에 따라 날카롭기도 하고 몽글기도 했다. 오리온자리를 보고 세 자매 별이라고 불렀고 북두칠성과 샛별을 찾아보며 길을 잃으면 저 별을 찾아오면 된다고 서로 알려 주었다. 밤이 짙어 갈수록 아파트 옥상이 끝나는 난간과 하늘이 맞닿은 근방 어귀는 청록색 그라데이션으로 바래져 갔다. 여름 방학이면 자주 아파트 옥상에 올라가 돗자리를 깔고 누울때면 가제 수건조차 덮지 않았는데도 검은 하늘과 공기로 인해 압박감이 느껴졌다. 새벽이슬이 내릴 때가 되면 별들은 빛을 잃고 옥상 저쪽 끝에 숨어있다가 갑자기 밀려오는 것 같은 거대한 어둠으로 두려움이 생기면서 한 순간 잠이 들곤 했다.

다양한 책 속에서 내가 알지 못하던 단어나 표현을 찾는 즐거움에 더해 그 표현을 활용하여 내 상상력을 써 내려갔다. 그러자 학교에서 우수상이라는 것을 주었다. 교실마다 작품 게시판 선발된 작품을 걸어놓고 공유해주셨다. 담임선생님이 빨간 색연필로 내 원고지의 특정 단어에 별표를 그려놓고는 '어려운 단어를 잘 알고 있네요' 라고 적어 주셨다. 이런 포인트로 상을 받을 수 있음을 알게 되었다. 그 후부터는 글을 써서 어떻게 상을 받아볼까 하는 생각만으로도 너무 즐거워서 심장이 벌컥, 버얼컥, 벌컥 엇박자로 뛰어 숨이 잘 쉬어지지 않을 정도였다. 상을 받는 루틴은 책의 난이도와 상관없이 읽어내고 독후감을 쓰고, 연계해서 상상의 글을 쓰고, 호기심과 맞물려 만화책을 만들고, 파스텔 시화를 그리고, 손으로 그린 그림과 함께 독후감을 제출했다. 상을 받아가는 횟수만큼 어떻게 해야 상을 받을 수 있는지도 잘 알게 되어 갔다. 그렇게 동급생과 매번 다른 시도를 했다. 책읽는 시간은 다음 작품을 준비하기 위한 상상하고 계획하는 시간이 돼주었고 결과로 상을 받으면 내가 존중받는 기분이 들면서도 나중에는 당연히 받아야 한다는 뻔뻔함까지 생겼다. 돌이켜보면 당시 선생님께서 어린아이가 애썼다고 주신 것 아닌가 싶다. 그마저도 인정해주지 않으셨다면 난 어떤 성향의 아이가 되었을까.

다행히 여러 수상 경험이 계기가 되어 무언가 쓴다는 것은 두려움의 대상이 아니었지만, 나의 표현은 원고지와 스케치북이라는 한정된 공간에서만 살아났다. 글 또는 그림으로 인정해 주시는 분은 선생님뿐이었고 부모님은 결과물인 상장으로만 인정해 준다고 생각했다. 얼마나 또래보다 잘 표현하고 있는지 어떤 상상력을 가졌는지 그 크기는 어떠한지 무엇을 하고 싶은지는 누구도 알 수 없었다. 초등학교 고학년이 되어서도 나를 좋아한다는 축구부 동갑내기가 건네는 선물 따위는 별로 관심이 없었다. 누가 누구를 좋아하는 이런 감정이 학생 간에 생기는 이유에 대해서는 머리로는 알겠지만, 마음은 별로 공감하지 못했다. 다만 상황이 좀 웃길 뿐이었고 내게는 수업 시간마다 외국 번역 도서를 읽어주는 담임 선생님만 기다려질 뿐이었다.

책은 너무나 경이로운 세상이었다. 내가 눈을 뜨고 보고 느끼는 이 세상과 너무나 달랐다. 그래서 더 책을 통해 나를 인정받고 싶었는지도 모른다. 매우 순종적인 착한 딸로 책을 읽어야 하는 책임과 의무를 가지고 태어난 아이 같았다. 사람들과 어떻게 소통해야 하는지 모르는 채 책이라는 환상 속에서만 살고 있었다.

통제받지 못한 호기심

어릴 때 살던 70년대 구형 아파트는 주변에는 번화한 상가도 있지만 한강 변과 연결된 도로 쪽으로는 제법 넓은 밭이 있었다. 내가 살던 아파트 옥상에 올라가서 바라보면 한쪽은 더 어릴 때 수영하고 놀던 모래 변과 한강이 넓게 흐르고 있었고 한쪽으로는 멀리 초록 초록 작은 산이 보였다. 바로 아래에는 놀이터가 있고 나머지는 온통 아파트~ 아파트~였다. 참! 아파트 단지 중앙에 자리한 유통거점, 3층짜리 상가건물에는 문방구랑 쇠꼬챙이로 꿰어진 치킨이 빙빙 돌아가던 치킨집(옛날 아빠들 월급날 많이 팔리던 그 치킨, 종이봉투에 담아오던), 철물점, 담배를 같이 팔았던 가게 등 시장까지 가지 않아도 제법 많은 물건을 구매할 수 있는 신기한 곳이 있었다. 또 모래 놀이터에는 오래되고 엄청 큰 아카시아 나무가 있어서 늦봄이면 길게 내어준 아카시아 줄기에 깽깽 발로 매달려서 하얀 꽃을 훑어내어 놀이터 아이들에게 먹어보라고 강요했다. 어른이 되어 내가 다니던 초등학교 교실을 가면 생각보다 너무 작아 깜짝 놀랄 때가 있다. 어쩌면 그 넓다고 생각한 밭도, 커다란 아카시아도 아담한 크기였을 수도.

이 모든 환경이 내가 탐험가 자질을 갖추기에 충분했다. 나는 호기심 많은 탐험가였다.

복도를 마주보고 같이 쓰는 5층의 아이들은 자주 우리 집에 놀러 와 난장판을 만들고 놀았다. 집을 난장으로 만들어 버리는 놀라운 놀이는 주로 책 속의 탐험 이야기이거나 같이 만들어 나가는 우리만의 상상 속의 이야기들이었다. 생각해 보니 고맙게도 다들 잘 따라 주었다. 어쩌면 그 나이 때는 원래 그렇게 노는 거였을 수도. 얼마나 험하게 놀았는지 꺾어진 바둑판과 허리가 똑 부러진 와인글라스는 테이프로 둘둘 감겨 모르쇠로 일갈하고 어쩌다 장롱 밑을 효자손으로 긁어 내면 유리구슬, 바둑알, 모래, 종이 인형 등 별별 것이 다 기어 나왔다.

어느 날 꼬마들은 대책 없는 탐험대장의 제안에 따라 '개구리 뒷다리 구워 먹기 탐험대'를 구성해 출발하기로 했다. 언젠가 한 번 정도 아빠를 따라가 보았던 약수터를 찾아가 보겠다고 무슨 이상한 자신감이 생겨 아이들을 이끌었다. 아직 아기였던 세 살짜리 막내는 내가 업고 가다가 내려서 걷게 했고 여섯 살 둘째는 탐험대원에게 손을 잡게 하곤 장난감 대신 막대기를 쥐여주고 걸었다. 수풀 속으로 걸어가면서 콩알만 한 보라색 포도 알갱이 같은 열매를 보면 내가 먼저 맛을 본 후, 탐험대원들에게 골고루 나눠 주었다. (실제 먹을 수 있던 것인지는 알 수 없으나 무척 달았다)

한강 변을 따라 나무 사이로 한참을 걸어 도착해 우리를 처음 맞이한 것은 봉긋하게 솟은 아주 작은 언덕이었다. 우리는 그위로 한달음에 올라가 엉덩이를 붙이고 미끄럼틀이라고 줄줄이 미끄러져 내려왔다. 알고 보니 비석 없는 무덤이었다. 주변에 수풀이 많이 자라 작은 언덕이라고 착각했던 것이다. 그래서 신나게 놀다가 탐험대원 중 누군가 무덤이라고 알게 되면서 귀신이 나올 수 있다고 말하는 바람에 다 같이 도망했다.

근처 물이 졸졸 흐르는 곳에서 청개구리부터 주먹만 한 개구리까지 많이도 잡아 와서 가지고 갔던 비닐봉지에 담아 뛰쳐나오지 못하게 손잡이를 묶어주고는 어떻게 구워먹어야 하는지 고민했었다. 하지만 근처 동네에 사는 험상궂어 보이는 오빠들이 개구리 학살하는 모습을 보고는 책에서 맛있게 구워 먹었다는 개구리 뒷다리 이야기가 거짓말처럼 느껴졌다. 이내 비닐봉지의 개구리들을 모두 풀어주었다. 우리가 놀았던 그곳이 약수터였는지 분명하지 않지만 다 같이 개구리를 잡으면서 살아있는 동물을 잡는 것에 긴장도하고 물컹거리면서 미끄덩거리는 이런 초록빛 개구리를 먹을 수 있을까? 머리 맞대고 고민도 했었다.

되돌아오는 길에 발견한 뱀 구멍(탐험대는 그렇게 불렀다), 막내 동생 발이 그 구멍에 빠져서 떠밀려 들어갔다고 기억하는 파란색 슬리퍼는 진짜로 뱀이 물고 갔을까? 놀이터에서 주워 온 짝이 맞지 않는 슬리퍼를 가져다 나란히 놓았는데 엄마가 진짜로 알아채지 못했을까? 더 후에는 엄마가 관심이 없기 때문에 동생 슬리퍼가 짝짝이라는 것도 몰랐다고 오해했던 어린아이. 이제는 노인이 되어버린 엄마에게 어떻게 기억하시는지 확인하고 싶다.

책은 온 세상을 모험과 동경의 대상으로 만든다. 수박 서리를 너무 해보고 싶어서 수박과 비슷한 호박이라도 서리 한번 해보자고 놀이터 남자아이들을 꼬드겨 아파트 뒷길 유일한 호박밭으로 순서를 정해 몰래 들어갔다. 수박 대신 호박이지만 서리를 한다는 것이 이런 아슬아슬한 마음이구나! 설레었다. (결국, 도둑질의 마음인데 어린 정서에는 몹시 해보고 싶은 동경이었다) 다들 조막만 한 아기 호박을 따서 나왔지만 대장인 나는 나름 누렇고 커다란 늙은 호박을 하나 따서 의기양양하게 들고 나왔다. 수박처럼 주먹으로 팍하고 깨지지 않아 껍질을 앞니로 벗겨 내어 다들 돌아가면서 한입씩 호박의 속살을 깨물어 먹어보니... 이처럼 맛이 없을 수가 없다.

허클베리핀의 텐트처럼 집을 지어 보려고 돌, 나뭇가지나 막대기, 천이나 신문지를 구해오도록 했고 놀이터 중앙의 아카시아 나무 등걸에 커다란 돌을 양쪽으로 괴어놓고 지붕이라고 공사장에서 나온 듯한 크고 납작한 돌을 괴어놓은 돌 위에 얹었다. 그러자 한 사람이 겨우 들어갈 수 있을 정도의 집, 구멍이라고 표현해도 좋을, 휴식처를 만들었다. 금세 지어진 우리 공간을 보고 놀던 아이들이 들어가 보겠다고 줄을 섰다. 재료를 구해온 탐험대원들이 순서대로 들어가서 쉬도록 해주고는 마지막에 내가 들어가 앉았다. 바닥의 모래가 여름 햇살로 뜨겁긴 하지만 부족한 재료의 공간들 사이로 살며시 들어오는 바람이 마음의 안정감을 주었다. 세상으로부터 차단해 주는 아늑한 아지트였다. 나중에 이 무거운 돌이 놀이터에서 어떻게 치워졌는지는 잘 모르겠다.

곤충이나 생물 도서에 빠져 있을 때는 아빠 도움을 받아 잡아 온 몇몇 생물(개구리, 거머리, 사마귀, 매미, 잠자리)들은 알코올 유리병에 담겨 자랑스럽게 교실 유리창 앞에 나란히 전시되었다. 학교 숙제도 아니고 누가 해오라고 한 것도 아닌데, 내가 즐거워서 그렇게 자발을 떨었다. 남학생들의 관심을 많이 받았고 교실에서 어떻게 치워졌는지는 기억나지 않지만 청소하시는 분이 꽤 곤혹스러우셨을 듯 하다.

간간이 생기는 돈(당시에는 정기적으로 받는 용돈의 개념이 없었다)을 모아 마련한 현미경은 한동안 나의 실험실이 되어 주었다. 현미경 슬라이드 글라스에 끼워 넣을 수 있는 것들은 다 실험 대상이었다. 채소를 비롯해 식물의 온갖 종류는 보이는 대로 얇게 벗겨 냈고 파리 날개, 빵 부스러기, 음료수, 머리카락... 등 미시적 세계를 내 눈으로 확인하고 백과사전의 말이 맞는지 확인해야 직성이 풀렸다. 하지만 초등학교 앞 문구점에서 판매하는 현미경의 성능이 아무리 좋아 보여야 딱 교과서에 나오는 정도의 성능이었다. 바퀴벌레가 공룡시대부터 생존해 왔다고 해서 얼마나 극한 환경에서 잘 살아남는지 실험한다고 비닐봉지에 잡아넣고 해동하면 살아나는지 확인하고 싶어서 냉동실에 넣어 놨다가 엄마한테 들켜서 그대로 쓰레기통에 버려졌다. 그때는 인터넷이 없어 유일하게 의지하여 확인할 수 있는 가장 가까운 포털사이트는, 나에겐 책뿐이었다.

아파트였어도 구형이라 부엌에서 난방을 위해 연탄을 땠고 부엌 한 켠에 풍로(곤로라고 부르기도 했다)를 두었는데 마치 지금의 인덕션이나 가스레인지 같은 느낌이다. 그 위에 찌개 냄비를 올려서 데웠다. 불을 피우려면 풍로 가운데 심지를 올리고 성냥으로 불을 붙여서 심지에 갖다 대면 심지가 석유를 빨아올리면서 불이 화악하고 붙는다. 이때 성냥 냄새와 석유 냄새가 순서대로 공기 중에 섞이는데 나는 이 냄새가 좋았다. 그 당시 석유 냄새를 좋아하면 기생충이 있는 거라는 말이 있어서 기생충을 가지고 사는 더러운 사람처럼 보일 것 같아 냄새가 좋다고 말할 수 없었다.

성냥을 켜면 특이한 냄새가 나는데 특히 성냥을 끌 때 하얀 연기와 함께 독특한 냄새가 난다. 성냥은 육각형 통하나 가득 작은 성냥개비들이 촘촘하게 담아져 있다. 이 커다란 성냥 통은 집마다 최소 하나씩은 가지고 있었다. 옆면은 규소와 유릿가루를 섞어 갈색으로 발라놓아, 동그랗게 황이 발라진 성냥개비 한 개를 꺼내 머리 부분에서 손을 약간 떼고 막대기를 단단히 잡은 후 불을 붙일 마음의 준비를 한다. 그러곤 한 번에 '착'하고 갈색 옆면을 내리그으면 성냥개비에 불이 촤악하고 소리를 내면서 붙는다. 아마도 성냥에 대한 뭔가 과학적 설명이었던 것 같은데, 내게는 이 작은 성냥에서 불이 생긴다는 사실이 마법과 같았다. 그래서 동생에게 보여주고 싶었다. 부모님이 맞벌이라서 그날은 둘째와 함께 여느 집에나 있을 법한 붉은 담요를 바닥에 깔고 종이 인형을 놀다가 심심했는지 갑자기 성냥 통을 가지고 왔다. 큰 언니답게 용감하게 잘 보라고 당부하고는 성냥개비 한 개를 성냥통 옆면에 대고 힘껏 문질렀다. 하지만 각도를 잘못 잡아 손이 뜨거웠는지 불이 붙은 성냥을 그대로 던져버렸다. 다행인지 성냥은 담요 위의 스테인리스 찬합 위로 떨어졌지만, 그

안의 종이 인형에 불이 붙었고 순간 불이 커졌다. 우리는 담요에 불이 옮겨붙을까 봐 얼른 일어나 담요를 털어냈다. 뜨거워진 스테인리스 찬합은 붉은 담요 위를 날아서 일순간 정지한 듯 보였다. 곧 그대로 바닥으로 떨어졌고 비닐 장판에는 동그란 찬합 모양의 문신 자국이 그대로 남아버렸다. 그러곤 하얀 연기는 사라졌지만, 회색빛 종이 인형들의 타다만 재가 빗자루로 쓸어도 자꾸만 나와서 곤란하게 했다.

여름이 한창일 때는 아파트 창을 활짝 열어놓고 살았다. 그 당시에는 방충망이 없었던 것 같다. 창을 마주 보고 활짝 열린 창밖의 하늘을 바라보며 아삭거리는 복숭아를 깨물어 먹다가 문득 좋은 아이디어가 떠올랐다. 복숭아 씨앗을 5층인 우리 집 창으로 힘껏 던지면 앞 동의 아파트 옥상으로 보낼수도 있겠다 싶어서 실행에 옮겼다. 입에서 뱉어낸 복숭아 씨앗을 들고 힘껏 창을 향해 던졌다. 창밖으로 날아간 복숭아 씨앗은 하늘로 올라가는 듯하다가 포물선을 그리고 직하강 했다. 앞 동 현관 주변에서 아이들과 엄마들이 더위를 피해 그늘에 앉아 있다가 갑자기 하늘에서 떨어진 돌멩이로 아주머니들이 소리를 지르고 금세 북새통이 되었다. 창에 매달려 복숭아 씨앗의 포물선을 따라 가던 나는 아주머니들과 눈이 마주치는 바람에 당황해서 그대로 주저앉았다. 사실 이게 얼마나 위험한 일인지 지금은 많이들 알고 있겠지만 당시에는 제대로 교육되지 않았다.

책을 읽고 상상하고 머릿속에서 해소되면 다행인데, 현실에서는 느낌이 어떨지 결과가 어떻게 나타날지 궁금증이 생기면 즉시 행동으로 옮겨서 확인하고 싶어 했다. 통제보다는 불분명한 책임 안에서 자유가 훨씬 많았다. 그 때문에 위험할 수 있는 상황들이 늘 상 있었으나 다행히 크게 다치지 않고 지나갔다. 호기심에 대한 욕구는 수시로 이런 식으로 해결되었다.

나를 찾아가는 고통

일하시느라 늘 늦게 들어오시는 부모님, 난장판이 된 집을 엄마가 오시기 전에 언제 놀았느냐는 듯이 치워야 하는 분주한 내 마음, 그래서 모든 놀던 잡동사니를 모아다가 책상 밑에 마구 밀어 넣고 잘못하다가 무너져 나올까 그 앞에 앉아 있던 잠깐의 시간. 현관에 흐트러져 있는 파란색 짝짝이 슬리퍼들. 현관문에 들어서자마자 깡 총거리는 토끼들을 피해서 바로 부엌으로 향하는 엄마의 뒷모습을 보면 나는 동생들이 조용히 있도록 하고 저녁 먹을 준비를 했다. 엄마와 하루 종일 한마디도 못 섞어본 아쉬움을 달래기 위해 어쩌다 한번은 동생과 엄마 사이를 비집고 들어가 엄마 품에 안겨 자기도 했다. 무서운 꿈에 시달려 눈을 뜨고 엄마를 올려다봤는데 어둠 속에서 보이는 엄마는 내 엄마 같지가 않아서 뜨거운 온돌난방 열기로 땀이 비 오듯 쏟아졌지만, 담요를 뒤집어쓰고 무서움에 떨었다. 늘 가까이하고 싶지만 내 것이 될 수 없는 엄마.

엄마와 말을 섞어볼 요량으로 그날도 학교에서 받은 상장을 들고 시장으로 달려갔다. 학교에서 엄마가 장사하는 곳까지 그 긴 거리를 길다고 생각하지 못하고 들떠서 상장을 손에 들고 문방구를 지나 골목길을 통과해서 찻길을 건너고 큰 사거리도 건너면 있는 그 시장에서 떡 장사를 하셨던 엄마를 만나려고 엄청나게 뛰었다. 보도블록 공사가 제대로 되어있지 않아 간혹 발이 걸려 넘어지는 날에는 된통 깨진 무릎에 피가 범벅이 되어도 엄마를 보러 가는 마음에 금세 눈물은 사라졌다. 그때도 목적이 있으면 집중을 잘했던 편이었나 보다. 크게 엄마를 외치며 달려가면 주변의 반찬 가게 아주머니들이 한결같이 얘기하셨다. 그 집 딸내미가 또 상장 받아왔나 보네. 엄마는 잘했다고 좋아하셨고 아주머니들이 한마디씩 거들면 이내 그 행사는 바로 끝났다. 어떤 내용을 썼는지, 무엇에 대해 칭찬을 받았는지 중요하지 않았다. 그 당시 엄마들은 먹고사는 것이 더 중요한 세상이었다. 엄마와 마주할 기회는 초고속으로 정리가 되고 손에는 떡이나 반찬을 싼 비닐 봉지가 들리거나 언젠가부터는 동생의 손을 잡고 집으로 돌아왔다. 혼자 돌아올 때는 그 길이 너무나 길어서 이 길을 어떻게 뛰어왔을까? 눈물이 나오기도 했고, 겨울에는 바짓단이 꽁꽁 얼어붙은 빨래 같이 되어 돌아오기도 했다.

어느 초여름날 둘째 동생을 데리고 옥상에 올라가서 우리가 이 넓은 옥상에 교회를 만들면 얼마나 좋겠느냐고 어린 동생을 설득했다. 둘이 크레파스로 빨간색 십자가를 색칠하고 오려내 옥상 기둥 하나에 풀로 잘 붙였다. 그러고는 이 교회에 올 많은 친구에게 나눠줄 공책도 준비해야 한다고 생각했다. 장마가 지고 그 일을 까마득히 잊고 계절이 바뀐 후 다시 옥상에 올라갔을 때는 종이 십자가는 어디론가 날아가 버리고 그 기둥에는 빨간색 그림자만 남아 있었다. 아마도 그때 사람을 그리워하는 마음이었지 싶다.

언젠가 아직 엄마의 돌봄이 필요한 어린 막내를 내가 다니던 초등학교 근처에 사시는 지인 댁에 맡기고 일을 보러 가셨었다. 그 집이 어디인지 알고는 있었지만, 창가에 앉아 수업하던 내 귀에 동생의 목소리가 들린다는 사실이 환청 같았다. 운동장 저쪽 끝에서 짜증 난 동생의 목소리가 철책 바깥에서 학교 안쪽을 향해 '언니'하고는 몇 번이나 외침이 계속되었다. 아마도 남의 집에 맡겨진 동생이 혼자 심심해서 언니가 다니는 학교를 향해 언니를 부르면 나올 거로 생각했나 보다. 창문을 통해 멀리 실루엣만으로도 동생이라는 것을 알아보고는 마음 한편으로는 안타까움이 있으면서도 한편으로는 그런 동생이 바보 같다고 생각했다. 나보고 어쩌라고. 늘 부모님은 동생들에게 언니는 부모를 대신한다고 언니 말 잘 들으라고 하셨다. 이런 상황에서 부모 같아야 하는 나는 어떻게 해야 하나. 선생님께 말씀드리고 동생을 데리고 교실로 들어와야 하나, 아니면 조퇴해야 하는 걸까. 혼란스러운 사이 언니를 부르던 동생은 마치 그림자처럼 사라지고 나는 이내 그 사실을 잊었다.

막냇동생이 조금 커서 방학 동안 집에 같이 있는 때라면 마음이 편하셨는지 더 늦게 들어오셨고 우리는 각자 무언가를 하다가 차려 놓은 밥을 먹고 알아서 치우고 우리끼리 알아서 잠을 잤다. 나는 항상 자다가 깨서 두 분이 들어오셨는지 확인하고 다시 잠들었다. 두 분 중 한 분이라도 내가 정해 놓은 시간까지 안 들어오신 날이면, 밖에 나가서 아파트 단지를 돌아다니다가 들어왔다. 그렇게 다니다 보면 만날 수 있을 것 같았다. 가슴이 답답해서 계속 울었다. 도대체 어디에 계신 걸까. 내가 나와 있는 사이에 동생들이 깨면 놀랄 텐데... 이러다가 새벽이 되고 날이 밝을 때까지 부모님이 안 들어오시면 그땐 어떡하지. 걱정이 있었다. 그래서 막연히 어른들의 사회생활이라는 것이 싫었다. 내가 첫째인 게 싫었고 내가 이분들의 자식으로 태어난 것이 싫었다. 나에게 큰 언니는 부모와 같다는 정신적 부담을 안겨준 채 두 분은 어디에 계시고 이 밤에 거리를 떠돌게 하는가에 대해 계속해서 원망하는 마음과 사랑을 받고 싶은 마음이 혼재되어 사춘기를 맞이하게 되었다. 그리고 사람이 싫었다. 감정적으로 피곤했다. 동생들하고 있어도 서로 말이 필요 없었고, 각자의 방식대로 소통하는 법을 배우며 커갔다. 나는 책 속에서 살았고 동생들은 어려도 늘 나가서 놀았다.

이렇게 나는 집에서, 동생들은 나가서 놀았던 이유는 돌이켜보면 내가 부모 역할극을 심하게 했기 때문이라고 생각된다. 부모를 대신해서 동생들이 잘못한 것이 있다면 혼을 내도 된다고 들어왔고 스스로도 그것이 매를 때려도 된다고도 생각했다. 그래서 동생들이 내 말을 바로바로 듣지 않거나 잘못한 일이 보이면 매를 자주 들었다. 아래 동생은 방을 쓰는 빗자루로 자주 맞았다. 이렇게 하면 왜 안 되는지 알려주면 되는 거였는데 매번 빗자루를 들어서 강제로 구속을 하려고 했는지. 그렇게 하는 것이 당연한 권리이고 문제가 없다고 생각했다. 그때 나는 말 없는 폭군이었다. 착하고 순종적인 큰딸이라는 양의 탈을 쓰고 동생들에게는 매를 들고 언니의 말을 강요하는 폭군이었다.

중학교 때는 서울의 반대편으로 이사하면서 여중으로 전학했다. 남녀공학과 달리 여자중학교는 매우 다른 세상이었다. 깐족대는 남학생도 없어 다행이라고 생각하고 아무도 나에게 말을 걸지 말고 혼자 두길 바랐다. 당시 우리 집에 세를 들어 살았던 젊은 아줌마의 고향 이야기, 518 민주화운동은 내가 대학교에 진학할 이유를 만들어 주었다. 대학에서 민주화를 외치는 상상은 진학 준비를 하는 중학교 3학년 여름방학이 힘들지 않았다. 매미 소리 한가득인 여름날, 안경 너머 장난기 많은 눈을 반짝이며 담임선생님은 양동이를 가져다 교실 바닥에 물을 좌아 하고 흩뿌려 주시던 날엔 우리반 여자아이들은 공부하다 말고 자지러지게 소리를 높였다. 졸리던 눈도 번쩍 뜨이고 시원해진 바닥에 맨발로 첨벙거리며 아이같이 다들 좋아했다. 그렇게 여름의 하루하루를 지냈다. 같이 수다 떨며 감정을 공유하지 않았지만 이렇게 같은 공간에서 상황과 느낌을 공유하는 것만으로도 내게는 소통이 되었고 공감이 되었다. 그것만으로도 충분했다.

부모님은 당신들의 삶을 이겨 나가기 위한 다양한 시도, 실패, 새로운 시도에 바쁘셨다. 어릴 때보다는 좀 더 자주 대면할 기회가 있었지만, 같은 지붕 아래 있어도 통신선이 끊긴 다른 나라에 사는 사람들 같았다. 부모님과 나는 정서적으로 한 걸음도 더 가까워지지 않았다. 결국 내 생각은 전혀 묻지 않은 채 아빠의 결정에 따라 취업률이 높다는 상업고등학교로 진로가 정해졌다. 자식들의 꿈이나 진로, 삶을 어떻게 살아가야 하는가에 대해서는 관심 밖이었다 아니 관심은 있으셨지만 당사자의 의견은 중요하지 않았다. 나는 내 안으로 들어가 문을 닫아 버렸다. 왜 싫다고 말하지 않았을까? 왜 대학교에 가고 싶다고 말하지 못했을까? 나는 착하고 순종적인, 부모를 대신한 큰딸이니까.

고등학교 입학하는 날까지 얼굴에 웃는 가면을 쓰고는 아무것도 안 했다. 하루 종일 아빠가 운전하시는 택시의 조수석에 앉아 잠만 잤다. 무기력이었다. 3월, 또다시 서울 반대편에 위치한 상업고등학교로 등교하는 첫날 새벽 6시 버스에 배웅 나온 엄마는 해맑기만 했다. 교복 입고 구두 신고 편도 2시간 걸리는 학교에 다녀야 하는 큰딸이 대견하기만 했나 보다, 내 마음도 모르고.

고등학교 막 입학해서 얼마되지 않았을 때였다. 학교 서클의 동기들과 분식점에서 저녁을 먹고 나오는 길이었다. 그 분식점은 워낙 학생들이 많이 붐비는 곳이어서 책가방을 출입구 근처 선반에 쌓아놓도록 했다. 그런데 내 가방이 보이지 않아 다급하게 살펴보니, 내 것과 똑같은 가방을 메고 막 나가는 학생이 있어서 급히 뒤쫓아 나갔다. 그 가방에는 새로 산 한 달 치 회수권이 들어있었다. 가방 열어보라고 했고 그쪽은 당당하게 안 열겠다고 버텼다. 누가 보더라도 소위 날라리였다. 가방을 가져간 그 날라리는 세 명이 한 패였다. 그들 눈에는 내가 만만해 보이는 상대였겠지. 분명히 내 가방이었고 확신이 있었지만, 혼자 날라리 세 명을 상대하기엔 두려웠다. 모르는 이들에게 큰소리를 내도 되는지 자신이 없었다. 화도 나고 따박따박 대꾸하는 그녀들한테도 짜증이 났다. 나에게 어떤 힘이 있는지 버스 정류장 앞이지만 누구 한 사람 나를 도울 어른이 있을까 싶었다. 내 것을 제대로 찾지 못하고 눈앞에서 빼앗겨버린 억울한 사건이었다. 바보인가?

고등학생임에도 아르바이트를 할 수 있도록 학교 서클 동기들이 도와주었고 덕분에 집에 말하지 않고 처음으로 직접 돈을 벌어 가방과 회수권을 준비할 수 있었다. 아이러니하게 나를 도와준 이들은 준 날라리였다. 이 일이 계기가 되어 그들이 원하는 대로 항상 같이 다니게 되었다. 그들끼리는 중학교 때부터 잘 알고 지내온 사이로 그들 사이에 비집고 들어갈 생각은 하지 않았다. 그냥 그 모임 안에 들어가 있는 그 상태로 만족했다. 매번 새로운 경험이었고 즐거웠다. 굳이 집에는 말할 필요가 없었다. 나도 집에서도 서로 관심을 두지 않으니 말이다. 그냥 제대로 된 성적표만 가져다드리면 되었다. 집은 잠만 자러 들어갔다 나오는 곳이었다. 서클 활동을 하면서 새벽에 나와 시청각실에 가서 연습하다가 수업에 들어갔고 수업이 끝나면 다시 시청각실에 가서 연습하고 저녁 먹고 밤에 귀가했다. 시험기간에는 서클 동기들하고 모여 시험 준비로 늦었고 토요일에는 놀러 다녔다. 집에서도 서클에서도 여전히 나는 없었다. 계속 겉돌고 있었다. 나는 누구인가?

상업고등학교를 졸업한 대부분의 사람이 그렇겠지만 보통 열아홉 살에 직장생활을 시작했다. 철딱서니 없이 세상을 막 사는 이십 대가 되어갔다. 받은 월급은 나를 위해 모두 썼다. 결과는 뻔했다. 매일 술을 마시고 스무 살이 되도록 외모에 관심 없었던 나를 꾸미고 옷을 사고 살고 싶은 대로 살았다. 가족은 이미 고등학교 진학하면서부터 내 머릿속에서는 사라졌다. 오로지 나만을 위해 살았다. 그러다가 고졸과 대졸의 학력 차별 대우를 겪었지만, 지금까지 살아온 방식처럼 순응하는 듯했다.

삶에 있어서 나에겐 의지할 사람이 없었다. 그저 늘 책임과 의무만 지워졌다. 학교를 졸업해서 돈을 벌기 시작하니 이제는 회사에서의 상하 관계와 차별이 괴롭히기 시작했다. 문득 화가 생겼다. 마치 사춘기를 이제 시작하는 것처럼 어떻게 대응해야 할지 감정 관리가 잘되지 않았다. 민주항쟁 이야기를 듣고 사회정의라는 멋진 단어를 상상하며 대학에 진학하는 이유가 데모하려고요! 했던 중학교 때가 생각났다. 눈앞에서 가방을 빼앗겨도 내 것이라고 악다구니를 쓰면서 가방을 열어봐야 했던 고등학교 때가 생각이 났다. 그냥 아빠한테 상업고등학교에 가기 싫다고, 그보다 더 어린아이 때 내가 왜 부모님을 대신해야 하냐고 말해야 했다.

학력 불평등을 일삼는 공정하지 않은 이 회사의 관리자를 교체하고 싶었다. 그러기 위해 이 회사의 모회사로 입사하기로 목표를 세웠고 회사에 다니면서 다시 책을 보았다. 첫 수능시험을 치르고 괜찮은 점수로 입학원서를 내고 대학에 합격한 후 당당하게 사표를 냈다. 주변에서는 다들 미쳤다고 퇴사를 말렸다. 멀쩡하게 다니던 회사를 왜 그만두느냐고 말이다. 당시에는 고졸 여직원이 넘쳐나는 때여서 학력 차별은 늘상 있는 일이었고 회사는 원래 그렇게 다니는 거라고 조금만 버티면 대졸 후배가 생기는 경력직이 되는데 그 잠깐을 못 참고 대학교 진학을 하느냐고 말렸다. 결국 대학 진학과 동시에 퇴사에 대한 결정을 부모님과 논의하지 않은 채, 어느 날 아침 출근하면서 통보하듯이 알고 계시라고 말씀드렸다. 마치 아빠가 내 생각을 묻지 않고 상고로 진학 결정을 내리셨던 것처럼 말이다. 부모님은 반대하지 못하셨지만, 몇 날을 못 주무셨다. 이런 상황을 기대하고 일부러 회사를 퇴직해 학교에 신학한 것도 아니고 출근길에 느닷없이 말씀드린 것도 아니었지만 결론적으로는 평소에 생각을 나누지 않다 보니 매사가 충격적인 놀라운 소식을 주고받을 수밖에 없었다. 서로 대화라는 것이, 소통이라는 것이 어느 때 필요한 것인지 잘 몰랐기 때문이었다.

그동안 가족이라는 범주 안에서는 기억해보면 내 의향이나 관심 따위는 중요하지 않았다. 엄마는 늘 우리 딸은 책을 너무 좋아해, 그래서 상장도 많이 타오잖느냐고 선전용 문구를 깔아 놓으면 친척 어른들은 다들 대견해하시고 얼마나 좋겠냐며, 사촌들 보고 배우라고 다그치셨다.

어쩌면 두 분은 어렵게 자립하여 이룬 가정을 잘 유지하고자 밤낮을 가리지 않고 일하셨을(헌신) 것이고, 딸이 행여나 부담을 가질까 봐 우려하셔서 집안 사정을 얘기하지 않으셨을 수 있다(배려). 큰딸에게 동생들을 부탁하고 집을 나서야 하니 미안한 마음으로 큰딸이 부모와 똑같다고 정의해줌으로 동생들에게 언니 말 잘 듣고 있으라고 도와주신 것일 게다(존중) 그러나 이미 삐뚤어질테다로 일관해 버린 나라는 인간은 배려나 존중, 헌신이라는 단어는 불우이웃이나 노약자에게만 사용하는 단어라고 생각했던 인격적으로 질 낮은 이기적인 인간이었다. 모든 것은 평소에 있어야 하는 소통의 부재에 기인했다고 본다.

스물네 살이나 되어 이제서야 나라는 존재를 찾아가기 시작했다. 지금부터는 내가 원하는 것이 있으면 꼭 가져보자, 누군가 정해주는 대로 받지 말고 내가 갖고 싶다고, 하고 싶다고 먼저 말을 해보자 그렇게 나를 조금씩 표현해 나갔다.

그래서 나 자신과 먼저 소통하기 시작했다. 내가 좋아하고, 사랑하고, 하고 싶은 것이 무엇인지 솔직해지기 시작했다. 나도 잘 모르던 내가 보이기 시작했다. 그래서 달라지기로 했다. 내가 원하는 것을 똑바로 보고 흔들림 없이 말해보자고 다짐했다.

나에 대한 존재감을 드러내는 일은 결국 사회라는 공동체 안에서 결과로 나타나기 때문에 내가 아닌 상대방에 대해 알고 이해하기 위한 소통이 반드시 필요했다. 그러나 그 과정이 서툴고 어색하여 잦은 오해와 피로감이 생겼고 마주해야 하는 사람이라는 본질의 다양성과 그 이면의 솔직하지 못해 생기는 혼란과 고통으로 한 때 매일 매일을 지옥처럼 보냈다. 사람을 한번 알게 되면 너무 믿어버려 자주 도끼에 발등만이 아니라 여기저기 심하게 찍혔다. 그뿐 아니라 서로 맞춰가야 한다는 목적하에 끊임없이 무엇인가 해주길 기대하는 사람들을 이해할 수 없었다(너무 비효율적이지 않은가). 조금만 소홀히 하면 마치 무슨 큰일이라도 난 것처럼 호들갑을 떨면서 배신당한 것처럼 난리를 부렸다. 손에 남은 재정은 아무것도 없이 회사를 덜컥 그만두고 대학에 들어왔는데 엎친데 덮친격으로 차라리 예리한 사시미 칼이 더 나았을까? 날이 무딘 반자동 목공 톱으로 가슴을 뚫어내는 듯 떠나 버렸던 첫 번째 사랑의 경험은 사람과의 관계에서 최악의 기억이자 삶의 반전이 되었다. 이렇게 늦게나마 나를 존중하고 사람과 어우러져 살아가는 방법을 배워나갔다.

뇌 근육에 생채기 내기

언젠가 계열사 통합을 위해 각 회사의 특정 분야만 먼저 통합전략을 세워보자고 전담팀을 꾸렸다. 그래서 일부 팀원들을 데리고 프로젝트팀에 들어가 근무하면서, 본사에 있는 팀과 프로젝트 팀 양쪽을 관리해야 하는 매우 멋진 상황이었다(진짜로 멋지다고 오해 없길). 두 개의 회사는 태생적으로 너무나 달라서 통합해야 하는 전략의 관점과 방향성을 도무지 하나로 합칠 수가 없었다. 상위 보고 체계나 조직문화도 이질적이었다. 그 조직 안에서 같이 근무하는 내내 점점 미쳐가는 중이었다. 같은 한국말을 하고 있는데 상이한 결과는 내 눈과 귀를 의심하다가 결국 내 머리를 의심하기 시작했다.

배려라면 배려로 매월 간식을 박스 떼기로 들여와 프로젝트 한쪽 벽면을 가득 편의점 마냥 채워 놓았다. 스트레스 지수 상승 속도만큼 탄수화물과 당분의 흡수력은 높아지고 성질은 나빠져 갔다.

결국 프로젝트 시간이 경과하면서 공무원과 같은 모든 친절과 미소 뒤에 수천 장의 불필요한 문서만 남기고 나서야 실질적 변화 없는 조직이라는 것을 깨달았다. 미련했다. 일에 너무 진심이었다. 정성을 쏟으면 성과가 난다고 알았는데 순진했다. 더는 애쓸 필요가 없음을 뒤늦게 깨달고는 이제라도 알았으니 핵심 기준만 확보하기 위한 방어 전략을 세웠다. 팔려 가는 회사를 위한 마지막 선물이다. 이렇게 1년 반을 지내니 몸이 축났다. 내 몸에는 근육을 찾지 못할 만큼 지방이 쌓여갔고 눈 뜨기 어려울 만큼 피로감에 쩔었다. 운동에는 절대 돈 쓰는 사람이 아니었다. 운동 자체를 좋아하는 사람도 아니고 특히 헬스처럼 혼자 거울 보면서 근육 운동을 하거나 러닝머신을 하는데, 이걸 돈을 내고 한다는 건 더더욱 말이 안 되는 경제 가치였다. 그런데 내가, 혼자, 직접, 카드를 들고 헬스장에 갔다. 말도 안 된다고 했던 나의 경제 가치 개념을 깨고 한 번에 기백만 원을 결제했다. PT는 일주일에 두 번 또는 세 번으로 진행하며 트레이너는 학원에 운동하는 기술을 배우러 온다고 생각하고 와서 내 몸을 어떻게 쓰고 자세를 어떻게 해야 근육이 생기는지 기억하라고 했다. 할인받아 회당 6.6만 원. 헬스장은 회사에서 직원복지 차원으로 계약하여 무료 이용이라 저녁 6시면 어김없이 내려와 운동하고 8시 반에 사무실에 올라가서 10시 반까지 근무하다가 지하철로 퇴근했다. 주 5일 중 2~3일은 PT 강습이고 나머지는 셀프 복습이었다. 때때로 목이 안 돌아가요, 어깨에서 소리가 나요. 하면서 엄살을 부리고 관절 부위를 풀어달라고 운동시간을 조금이라도 줄여보려고 할 때도 있다. 이렇게 한 달이 지나니 눈이 떠지고 석 달이 지나니 피로함이 줄었다. PT는 거의 일 년간 지속하였다. 회당 가치보다 나를 관리하고 지켜내는 가치가 더 컸기 때문에 비용을 지불할 수 있었다. 퇴직하면서 PT도 그만두었지만, PT를 어떻게 해야 하는지 몸에서 알고 있는 것 같다. 머신에 올라가면 자연스럽게 자세가 나온다.

좋은 글이란 정교하게 잘 다듬어진 뇌 근육의 전자기 적 신경 자극의 결과물이라는 생각이 들었다. 아름답고 탄탄한 근육은 어설프게 만들어 지지 않는다.

전문 트레이너가 짚어주는 부위에 포인트를 잡고 한 번이라도 스쾃을 해본다면 자세를 어떻게 잡아야 하는지 확실하게 알 수가 있다. 이는 유튜브 보면서 따라 할 때는 절대 알 수 없는 느낌이다. 그래서 기술은 전문가에게 돈을 내고 배워야 하는 이유가 있었다.

그 글을 쓰는 전문 기술을 배워보자고 가치를 지불하기로 했다.

평소에 눈여겨보던 출판사 블로그에서 7주 과정 에세이 프로젝트를 진행한다고 광고가 올라왔다. 단 7주 만에 공동 저자로 책을 출판시킨다는 문구. 얼마나 자신 있으면 이런 마케팅을 할까 확인하고 싶은 욕구도 생겼다. 내가 믿는 신의 계시처럼 보자마자 결제 처리를 하자 에세이 프로젝트에서 웰컴 메시지를 보내왔다. 갑자기 그 어릴 적 글짓기 시간처럼 심장이 벌컥거렸다.

아, 내가 글을 쓰고 싶은가 보다. 아직 숨을 쉬고 있는 존재였구나.

누군가 글을 쓰려면 시놉시스란 걸 써야 한다고 했던 것 같아 검색 포털에서 찾아봤다.

'시놉시스' 단어만 봐도 심장박동이 불규칙동사처럼 요란해졌다. 하아.. 바로 글을 쓸 요량도 없으면서 말이다. 시놉시스란. 작가들이 스스로 자신의 작품 구상을 정리해 설계도처럼 사용하기 위해 작성하며 대체로 주제, 기획 의도, 줄거리, 결말, 등장인물을 포함한다고 정의되어 있다.

사실 이 정의에 따라 시놉시스를 작성하려고만 하더라도 이미 머릿속에 내용이 완전히 정리되어 있어야 하는 것이 아닌가. 무엇이 먼저인가? 설계도 작성하다가 소설 다 쓸 수도 있을 것 같은데 말이다. 결국, 써보고 싶어 했던 소설은 머릿속에서만 50부작으로 연속극을 찍고 도무지 글로는 시작이 안 된다.

생각을 말로 발표하는 것과 생각을 글로 표현하는 것은 도구만 다를 뿐 방법은 같다고 생각했다. 지주회사에서 하는 콘퍼런스를 포함해 어떤 과정에서든 상관없이 발표해야 한다면 그냥 즐겼다. 어차피 회사 내에서는 대체로 아는 범위(일)이고 예고 없이 지목되더라도 국가고시도 아니고 틀리면 어쩌겠느냐 하는 배짱이 있었다. 회사 대표와 경영진을 설득하기 위한 보고서는 목적이 분명하다. 승진 추천서나 때 되면 작성해서 제출하는 직원 평가서도 모두 목적이 있다. 조직에서 원하는 바를 알면 그에 맞춰서 논리와 비교기준, 목표 숫자만 있으면 된다. 보고는 진심을 담아 말로 설득하는 것이고 보고서는 내 주장을 이끌어가는 데 보조적인 역할이다. 보고하는 내내 뻘쭘함을 피하기 위한 '시선 처리용'이라고 나 할까? 눈싸움하고 있을 수 없지 않은가. 그리고 블로그 콘텐츠는 사실 누가 보든 말든 크게 신경 쓰지 않고 작성했다. 지구 공동체원으로써 정의로움을 위해 투표 또는 집회를 유도하거나 삶에 약간이라도 도움 되길 바라며 일상에서 깨달을 수 있는 즐거움을 다루는 데 자유롭게 표현한다. 그런데 이놈의 에세이는 아직 내 손안에 잡히지 않는다. 지금 이 글 작업하는 중에 어깨너머로 큰아들이 보더니, 하는 말 "쓰기 싫다, 쓰기 싫다 투성이네" 핀잔한다. 완벽주의 성향의 나는 스스로 자신감이 부족하다.

잘 쓰고 싶다고 생각하니, 퀄리티에 대한 정의가 궁금해졌다. 잘 쓴다? 너무 막연하다. 개성이 중요한 세상이고 솔직하게 쓰면 된다고 하는데, 맞지, 소설도 아니고 에세이를 내 이름을 적어서 만들어내는 글인데 거짓으로 쓰면 안 되겠지. 그런데 너무 편해도 너무 꾸며도 그렇다고 너무 없어 보이는 것도 불편한 건 사실이다. 정신 사나워 보이는 아마존도 싫고 모랫바닥을 파내야 할 것 같은 사막도 싫다. 과장되게 꾸민 일본식 정원도 싫고 방치된 시골 빈집도 싫다. 출간된 도서들을 읽다 보면 어떤 책은 쉽게 잘 읽히고 어떤 책은 내용이 풍부하고 또 어떤 책은 표현이나 사용하는 어휘가 적재적소에 맛깔스럽다. 그러다 내 글을 보면 후루룩 잘 읽히는데 단조롭다. 무엇에 따라야 하는지 모르겠다.

글쓰기에도 기본이 있어야 진정성과 창의성이 드러나고 강조하고 싶은 부분을 더 부각할 수 있는 것 같다. 하지만 보이지 않는 이 기본의 실체는 무엇일까.

글의 퀄리티를 무엇으로 평가하는 것일까. 인간 세상에서 논란이 되는 정의(Justice)가 시대에 따라 달라지듯 퀄리티도 그와 유사하다고 생각된다. 어쩌면 글은 매우 개인화된 감정과 사유가 담겨있는 것이라 정의보다 그 퀄리티를 평가하기가 더 어려울 것 같다. 다만 남들의 시선에서 얼마나 잘 읽히느냐, 공감대를 이루느냐 또는 동의, 바꿔 말하면 감동이 남는가에 따라 엄지손가락을 올리거나 내리거나 하는 것이리라.

2001년 제작된 아라카와 히로무의 강철의 연금술사 내용에서 주인공인 천재 연금술사 에릭 형제는 죽은 어머니를 살려내기 위해 연금술의 금기인 인체 연성을 펼친다. 엄마를 잠깐 소환하는 데 성공하지만 이내 사라지고 세상의 이치를 거스르는 행동은 혹독한 대가를 치를 수밖에 없다. 인체 연성의 대가로 에드워드는 왼쪽 다리를 잃고 동생은 죽는 것이 아니라 사라지게 된다. 그 때문에 동생의 영혼이라도 붙잡아 갑옷에 가두고자 자신의 오른팔을 희생한다. 잘못된 판단으로 동생이 몸 없이 살아야 하는 죄책감에 괴로워하며 몸을 회생시키기 위한 현자의 돌을 찾으러 형제의 여행이 시작된다는 이야기이다. 그 내용 중에 형 에드워드는 이렇게 말한다 '그 무언가의 희생 없이는 아무것도 얻을 수 없다. 무언가를 얻기 위해서는 그와 동등한 대가를 치러야 한다. 그것이 연금술에서 말하는 등가교환의 법칙이다.'

아무 생각 없이 재미로 보던 애니메이션에서 경제학 단어를 언급하며 세상의 이치에 대해 이야기하는데 방어할 겨를도 없이 뒤통수를 맞은 듯 잠시 동안 머리 속에서 커다란 징이 울리는 느낌이었다.

결국 찾아낸 현자의 돌 또한 사람을 치료하고 영생을 얻을 수 있는 돌이지만 대신 수많은 생명을 희생시켜 응축된 결과로 만들어진 대가였기에 이 돌을 이용해 동생의 몸을 소환하는 것이 정당한 것인지 고민하게 된다.

등가교환 법칙은 사실 노력보다는 퀄리티의 문제라고 본다. 양질의 재료를 넣으면 그만큼 양질의 결과가 나온다고 말이다. 그 퀄리티는 만들어가는 과정에서 누적되는 결정체이다. 마치 강철의 연금술사에서 찾고자 하는 '현자의 돌'처럼 말이다.

작가 '한강'님은 선천적 타고남을 가지고 있고 삶 대부분이 글 쓰는 것과 혼재되어 있다. 그렇지 않은 범인들은 글 쓰는 것보다 더 수월하게 먹고 살고 싶어 하여 잠깐의 '짬'만 갈아 넣고자 한다. '짬'을 넣으면 결과도 '짬'만큼만 나온다.

'나'라는 땅 밑 어딘가 크기도 성분도 알 수 없는 그 재능을 찾기 위한 노력의 과정에서 운이 좋으면 새로운 재능을 찾을 기회를 만나기도 한다. 누군가에게는 매번 찾아내지 못해 실패하는 괴로움만 남을 수 있다. 따라서 글쓰기는 누구나 도전할 수 있으나, 이 고뇌와 과정을 위해 친구들과의 맥주 모임을 포기할 수 없다면, 간절함이 없는 것이니 혹여 찾아내지 못한 재능은 그냥 마음 편하게 포기하는 것도 선택지 중의 하나이다.

아직은 뇌 근육에 생채기를 만드는 중이다. 그것도 마구잡이로 여기저기에. 몇 주간 뇌가 너무 피로하다. 너무 오랜만에 이런 갑작스러운 근육운동을 하느라 깜짝 놀란 뇌 근육은 사라졌던 회복탄력성을 소환해 내는 데 시간이 걸리나 보다. 아주 오랜만에 등산하거나 체육대회에서 온몸으로 줄다리기 후에 몸살 나는 것과 비슷하다. 일반적으로 근육에 상처를 만들고 아물면 또 상처를 만들고 아물기를 반복하면서 근육 힘의 세기가 커지는데 나의 뇌는 힘의 세기보다 근육통이 더 크다. 이겨낼 수 있는 힘이 같이 커지길 기도할 뿐이다.

글을 쓰는 진짜 이유

금융회사에 다닌 지 만 삼십이 년이 넘었다.

꽤 오랫동안 근무하던 회사가 우여곡절 끝에 지주사로 매각되고 희망퇴직으로 일을 마쳤다. 나름 좀 쉬다가 1인기업을 준비해 보려고 계획했으나 모처 임원분의 소개로 동종업계에 다시 근무하게 되었다. 새로운 회사에서도 여전히 일의 완성도를 높이고 싶어서 안달하느라 글을 쓰는 데 진지하게 접근하지 못하고 단박에 써 내려갈 방법을 찾고 있다. 주변에 글 잘 쓰시는 분들 보면 금방 책 한 권 쓰시던데 나는 진짜 재주가 없는 건가? 복잡하지 않으면서 한 번에 수월하게 써내려 가는 방법은 없을까? 갈수록 회사에서 보고서도 안 써지고 말도 버벅거린다. 나이를 먹을수록 노련해져야 하는데 미련이 쌓여 그런 가보다.

3년 전 퇴직한 첫날을 기념하면서 남들 다 한다는 블로그를 시작했다. 누구는 벌이의 수단으로 블로그를 하지만 난 글의 실력을 키우길 바라는 목적이었다. 약 3년간 480여 편의 글을 게시해 왔건만 당최 글이라는 것은 좌란~하고 마법처럼 늘지 않는다. 물론 '시간 누적 효과'가 글쓰기에 적용은 되는 것 같다. 어떻게 알 수 있느냐? 나라는 인간의 특성상 "One shot, one kill"이라 블로그같이 짧은 글은 한 번에 쭈욱 쓰고 맞춤법 검사기 돌린 후 바로 게시하기 때문이다. 그래서 초기에 올린 콘텐츠와 최근의 내용을 비교해 보면 최근 게시한 글의 tone & manner가 독자에게 좀 더 편하게 읽힌다. 사실 그것도 내 눈으로 평가하는 거라 내 눈이 달라져서 그렇게 보이는 것일 수도 있다.

하지만 좀 더 긴 글을 쓰는 과정은 블로그와 다르다. 몇 번 소설을 시도하다 중단했다. 글을 잘 쓴다면 어떤 글의 형태라도 파생하여 확장성 있게 무엇이든 잘 쓸 수 있어야 하는 것이 아닌가. 앞에서도 얘기했지만, 말은 곧 글이라고 생각했다. 블로그를 하면서 수많은 광고를 접했다. 쉬운 블로그 하기, 글 잘 쓰는 법, 쉽게 글쓰기, 전자책 내는 방법 등. 모두 돈 떼먹으려는 광고처럼 보여서 시도해 보지는 않았다. 이미 어린 시절 너무나 많은 사기를 당해본 입장이다. 등가교환의 법칙과 같이 무엇이든 쉬운 법은 없다는 것쯤은 아는 나이지만, 그렇더라도 수월한 방법을 찾고 싶었다.

글쓰기만 많이 해서 실력이 늘어난다고 하면 문예창작과가 있을 필요가 없겠다는 위로를 해보면서도 일반인이 어떻게 용을 써야 잘 쓸 수 있을지 알고 싶은 간절함이 생겨서 이렇게 글을 써보았다.

고등학교 때 암기과목은 시험 전날, 시험문제가 나올만한 곳을 교과서에 동그라미 치면서 읽어 내려가면 머릿속에 내용이 캡처되고 시험시간에는 머릿속의 이미지를 한 장씩 넘기면서 답을 확인했다. 회사에서는 언제 어디서 누가 이런 자세로 표정은 이렇게 하면서 무어라고 말했어라고 세밀하게 묘사할 정도로 기억력이 남달랐다. 그 상황이 머릿속에 이미지로 캡처되어 있기 때문에 회의실 창밖에 눈이 오고 있었는지도 묘사가 가능했다. 그런데 지금은 희망퇴직이라는 이름으로 회사를 그만둔 이후 대부분의 기억이 소멸하여 버렸다. 이상한 일이지. 그 회사에 다닐 때는 더 어릴 적 아름답고 고통스러운 기억들이 사라져 갔는데. 어쩌면 기억을 차단한 것일까? 내 기억임에도 내가 확신하지 못해서 자주 사진을 찍어 스마트폰이라는 기계에 나의 추억을 의존한다. 이런 생각을 해봤다.

뇌의 저장공간에 체계화 오류가 발생했나? 아니면 기억 방식인 이미지 캡처 방식은 메모리 사용량이 많아 빨리빨리 삭제를 하나? 이렇듯 긴가민가 나조차 더듬더듬 어둠 속에서 바늘 찾기처럼 기억을 찾아가야 하는 작업이 에세이를 쓰는 일이었다. 깜깜한 공간에서 덥석 만져지는 이 무엇인가가 당혹스럽고 불편하고 때론 품고 싶은 것들이 진짜 내 기억이 맞는지 검증할 수가 없다. 대체적으로 원하는 방향으로 기억하려는 편향이 있단다. 원래 자리에 무엇이 있었는지 찾아보는 과정이 수월치 않았다. 꺼내서 공유하고 싶지 않은 어렵고 불편하고 부끄러운 것들 때문에, 마치 인민재판 처형대에 나를 올려놓는 그 기분. 그래서 글 작업이 더 어려웠다. 이왕이면 예뻐지고 싶어 과장되게 표현할수록 글은 더 위축되고 형편없는 껍데기(비싼 쓰레기)같이 돼버렸다. 그래서 솔직하게 벗겨버렸다.

글을 잘 쓰고 싶다고 글로 뭔가 이루고 싶다는 애초의 목적이 있었다. 그런데 글을 쓰면서 알게 되었다. 글쓰기에 집착하는 이유를. 쓰면 쓸수록 드러나는 내가, 민망하고 가슴 아프고 그래서 나를 오해했음을 깨닫고 다시 사랑해 줄 수 있는 기회였다. 작가들이 작품을 쓸 때 혹은 배우들이 대본을 연습하고 무대를 준비하는 동안 자신을 잃고 오롯이 작품의 주인공으로 살아가는 시간이 있다. 지금, 이 글을 쓰는 짧은 기간 동안 나는 과거의 어린 나로 돌아가서 그때의 '빛나'가 왜 스스로를 가두고 그 경계 안에서 냉랭하게 사람들을 바라보았는지 들여다보고 현실로 돌아왔다가 다시 그때로 돌아가기를 반복했다. 시간의 경계가 모호해지고 삶이 피곤해졌다. 아주 잠깐이지만 거친 소설 작업을 하는 작가들의 고통을 이해할 수 있었다.

사는데 집중하느라 소중한 내 기억이 소진되고 앞만 바라보고 뛰기만 했었는데, 글을 쓰면서 잠잠히 내가 누구였는지 돌아보는 과정으로 나를 다시 찾아낼 수 있었다.

사라졌다고 포기했던 기억의 편린들이 끄집어 내어지고 모서리가 닮아서 딱 맞지 않지만, 아주 오래된 낡은 사진을 꺼내 보듯이 내 모습이지만 낯선 내 기억들.

내 잃어버린 기억을 찾아내기 시작했다.

그래서 글쓰기에 집착했나 보다. 그렇게 쓰고 싶었나 보다. 나를 돌아보고 싶어서.

소망은 희망으로

기업에서는 고객 관점의 마케팅 전략 수립을 통해 매출을 올리고 싶어 한다. 이때 보통 “Customer journey (고객의 삶의 여정, 고객이 기업에서 제공하는 서비스를 이용하는 전 과정)”와 “MOT (Moments of truth, 고객과 기업 또는 기업에서 제공하는 서비스의 접점)”에서 고객이 어떤 경험을 했을 때 구매하는지 분석하여 동선을 배치하고 매출로 연결하도록 한다. 경기 불황이라고 하는 대한민국에서 2024년 누적 매출 3조 원의 효과를 거둔 모 백화점 강남점의 성공 원인은 고객이 매장을 들어서는 그 순간부터 나갈 때까지 눈과 발이 이동하는 모든 곳을 고려하여 제품과 광고 배치를 통해 제품 구매 전략을 치밀하게 구사한 때문이라고 한다.

지금 요 정도 쓴 결과물로 뭐이리 거창하게 마무리를 하는가 싶겠지만 나름 치열하게 시간 쪼개어 가며 고민을 했으니 이만큼이라도 결과가 나온 것이다. “Reader journey(독자의 여정)”를 찾아가기 위한 좌충우돌의 방황이라고 정의하고 싶다. 독자와 소통하고 감동을 나눌 수 있는 글쓰기 재료(요소)는 어떤 과정을 통해 찾을 수 있을지. 독자와 작가의 삶이 연결되는 그 고리는 언제 인지, 그 고리를 통해 연결될 때 창조되는 새로운 경험과 기억의 느낌은 어떨지 알기 원한다. 느리지만 이 여정을 위한 발걸음을 떼 가면서 독자에게 보이게 될 MOT 그 진실의 순간에, 아, 이것이 독자가 공감하는 순간이라고 ‘훅’하고 깨달아지는 설렘이 기대된다. 누적 매출 3조의 원리는 아주 단순하게 정리해 보면, 흥분(신제품을 경험한다는 기대)과 고통(보유한 재정에 의한 제한된 경험)으로 더 많은 재정을 빌려

서라도 반복하여 새로운 흥분을 경험하게 만드는 과정의 결과물이고, 확고한 재정이 받쳐주지 못하는 고객은 결국 그 고리에서 영원히 이탈하도록 만들어 버린다. 하지만 글과 글을 인쇄해서 나온 책은 한 단계 더 나아가서 나만 이런 고통을 느끼는 것이 아니었다는 안도를 주며 그래도 내가 나름 잘 살아왔다고 스스로를 다독일 수 있게 해준다. 더 멋진 전략이 반영되어 있다. 직접 어렵게 글쓰기를 해보니 작가들이 대단해 보이고 책에 투영된 그들의 인생 여정이 더없이 소중하다.

사라지는 '돈'보다 더 좋은 게 있다. 성취감. 그것은 내가 살아있음을 느끼게 해주고 사람들 사이에서 나라는 존재가 있다고 관계 내에서 확인할 수 있다. 달성했을 때 스스로 얻게 되는 뿌듯함, 그로 인해서 다른 것에 도전할 수 있는 새로운 힘과 용기를 얻을 수 있어서 좋다.

아직 글을 잘 쓰고 싶다는 소망은 이루지 못했지만, 첫 호흡을 시작했다는 것이 중요하다. 자유영으로 첫 한 바퀴를 돌았을 때 그 자신감, 처음으로 5킬로미터 마라톤을 완주하던 날의 그 기쁨, 기절했다가 정신 차리고 자연분만한 3.2킬로그램 소중한 아이들, 나의 글이 인쇄되어 이 세상에 처음으로 나왔다는 성취감이 계속해서 나를 뛰게 한다. 그것이 소망을 지켜 나가게 하는 동력이다. 독특한 내 삶의 요소가 다양한 주제로 확장되고 흥미로운 주제로 누군가를 일으켜 세울 수 있는 희망으로 나눌 수 있기를 소망한다.

끝으로 당신은 삶에서 원하는 결과를 위해 어떤 퀄리티 높은 재료를 준비했는지 묻고 싶다.

류지현

나는 왜 엄마가 되었을까?

쳇바퀴 일상의 시작, 아침 출근길.

아침 6시 50분. 전쟁터의 총성처럼 느껴지는 휴대전화의 알람이 요란하게 울린다.

휴대전화의 진동 소리는 쳇바퀴처럼 돌아가는 일상이 시작되었음을 알린다. 10분 간격으로 설정된 알람이 대여섯 번은 울리고 7시 30분쯤은 돼서야 침대 밖으로 몸을 일으킨다. 세수하고 양치하며 남은 잠들을 몰아내 본다. 서둘러 옷을 입고 로션을 바른 뒤 아이들 유치원 가방을 챙긴다. 아이들이 입을 옷을 꺼내어 거실 한쪽에 한명씩 포개어 놓고 둘째 기저귀 한 장을 쓱 뽑아 포개진 옷 위에 올린다. 아이들을 깨우러 방에 들어간다. 3살 둘째는 아직도 통잠을 잘 못 자는 통에 새벽에 몇 번 뒤척이다 잠든다. 그러다 잠에 취해 잠들면 특히 아침에 일어나는 것을 아주 힘들어한다. 한 번도 깨지 않고 푹 자는 첫째는 둘째에 비해 잘 일어나는 편이지만 일어나라는 소리에 눈을 떴다가도 다시 베개에 얼굴을 파묻는다. 하긴 나도 이렇게 아침이 힘든데 아이들은 오죽할까. 어쨌든 아이들의 투정에서 고군분투하며 이미 오늘 하루를 다 보낸 것 같은 지친 아침을 열 때면, 문득 생각한다. '도대체 이게 언제쯤 끝이 날까?' 매일 아침이 두렵다. 내 몸 하나만 잘 챙기면 되었던 결혼 전 젊은 시절, 돌아보니 그때가 참 좋았다. 그땐 왜 몰랐을까? 돌아갈 수 없는 그 시절이 그리워진다. 이제 와 그리워해 봤자 무슨 소용인가. 그렇지만 그런 짜증 가득한 순간에도, 잠이 덜 깬 아이들의 얼굴에서 사랑스러움이 보이는 건 또 무슨 일일까. 아이러니하다.

오전 8시. 삐삐삐. 삐리릭. 현관문 열리는 소리가 들린다. 시어머니가 오시는 또 다른 알람 소리다. 어머니는 늘 그렇듯 건조기 속 빨래를 꺼내 개시고, 첫째를 유치원 버스 정류장까지 배웅해 주신다. 우리 집 아침은 역할 분담이 확실하다. 어머니는 첫째를, 나는 둘째를 챙긴다. 둘째를 준비시키고 차에 태워 어린이집에 데려다준 뒤 직장으로 출근한다.

가끔 친정엄마가 일이 없는 날 집에 찾아오실 때가 있다. 주말에만 오는 남편도 도와달라는 S.O.S를 받고 아침 준비를 거들어줄 때가 있다. 이런 날은 말 그대로 '완전 계 탄 날'이다. 혼자 출근할 수 있는 아침이 이렇게 가벼울 줄이야! 출근길이 마치 날개라도 달린 듯, 아니 돋힌 듯한 기분이다. 체감상 시속 10km로 느릿느릿 가던 걸음이 80km로 속도를 낸 느낌!

이런 날은 한 달에 손에 꼽을 정도로 드물다. 그래서 더 소중하다. 어쩌면 행복이란 이런 게 아닐까? 평소 전쟁 같던 아침 속에서 도움의 손길이 닿는 날은 꿀 같은 여유를 선물 받는다. 이런 순간마다 깨닫는다. 평소에는 보이지 않던 것들이 얼마나 큰 힘이 되는지를. 아침마다 아이들과 씨름하며 느꼈던 고단함이, 시어머니와 친정엄마, 그리고 남편의 도움으로 한순간 가벼워질 때야 비로소 알게 된다. 편안함과 불편함이 교차하며, 주중과 주말이 대비되듯 일상이 새로운 의미로 다가오는 순간이다.

도움의 손길이 닿는 날은 분주한 아침 속에서도 따뜻한 여유를 맛볼 수 있다. 반면, 그런 도움 없이 혼자 모든 걸 감당해야 하는 날엔 어깨가 무겁다. 그러나 대조되는 상황이 없었다면 아마 혼자만의 출근길이 이토록 행복하게 느껴지지 않았을 것이다. 불편함이 있어야 편안함이, 고단함이 있어야 여유가, 주중이 있어야 주말이 더욱 빛나는 것처럼. 진짜로 원하는 가치의 소중함을 알 수 있다. 아이와 함께 만드는 분주한 아침도, 가끔 찾아오는 꿀 같은 여유도 모두 삶의 또 다른 모습이다. 아이러니하게도 인생은 바로 이 양면성에서 행복을 찾게 되는 것 같다.

27개월이 된 둘째 아이는 머리가 커져 점점 꾀가 생기고 늑장을 부린다. 맨 처음 아무것도 모르고 엄마가 데려다 놓고 떠난 어린이집에는 좋은 선생님과 친구들도 있지만 아무래도 마음 편한 곳이 아니라는 걸 벌써 알아버렸을까. 말을 잘 못하는 아이의 생각을 알 수 없지만 아침부터 안 가겠다고 방바닥에 드러누워 버티는 아이를 보며 내 방식대로 그렇게 짐작할 뿐이다. 아이가 좋아하는 사탕, 젤리, 단팥빵 등 좋아하는 먹거리로 유인하고 좋은 말로 아이의 기분을 둥둥 떠받들어 달래며 겨우 주차장까지 도착하지만 차 앞에서도 여간 고집을 부리는 게 아니다. 카시트까지 혼자 올라가겠다며 '내가! 내가! 혼자! 혼자!'를 외친다. '아니 이 조그만 게 어디서! 차가 SUV라 높은데 다리도 짧은 게 이렇게 높은 곳까지 혼자 어떻게 올라간다고 그렇게 고집이니, 어?' 마음은 벌써 호되게 야단을 치고 있지만 평화로운 아침을 깨고 싶지 않다. 애써 호랑이 발톱을 감추고 입술을 꽉 깨물며 화를 누른다. 1분 1초가 아까운 출근 시간. 주차장에서 실랑이를 벌이는 동안 지각 당첨이다. 절망적이다.

'조금만 더 일찍 일어나서 준비했다면'
'아이들을 조금 더 강하게 깨워서 준비시켰다면'
'10분만 일찍 출발했다면'
'전날 좀 더 일찍 재웠다면'
'아침 6시 50분에 알람이 울렸을 때 바로 일어났다면'

매일 출근길 아침은 후회의 연속이다. '미쳤어-! 미쳤어-!' 나 자신을 비난하며 자동차의 속도를 올린다.

'누가 저 좀 도와주세요!' 속으로 외쳐본다. 누구도 도와줄 수 없다. 결국은 나밖에 할 수 없는 일. 매일 아침이 괴롭다.

무서운 퇴근길.

육아하는 엄마의 퇴근길은 집으로 가는 출근길이라고 했던가?

제일 먼저 둘째 아이를 데리러 간다. 가정 어린이집 선생님은 좋으시지만 데리러 가는 시간이 평소보다 조금이라도 늦을 것 같으면 괜히 눈치 보인다. 아무도 뭐라고 하는 사람이 없지만 입소하면서 하셨던 원장님의 말씀이 걸린다.

"어머니, 아이가 늦게 가면 힘들어해요. 다른 친구가 먼저 가는 걸 보면 속상해하거든요."

이 말이 부담처럼 남아있다. '혹시 우리 아이가 정말 속상해하지는 않을까?' 아이들이 하나둘 집으로 가고 혼자 남아 쓸쓸해하는 건 아닐까 하는 걱정이 마음을 짓누른다. 동시에 이 말이 빨리 데려가라는 압박으로 느껴지기도 한다. 괜한 상상이지만, 미운털이 박히는 건 아닐까 염려된다.

퇴근 후 잠깐이라도 숨을 돌리고 싶다. 차라도 한잔하며 여유를 부리고 싶은데 그럴 수가 없다. 굳어가는 어깨가 이제는 돌덩이가 되어 목욕탕이나 마사지 가게에 가서 시원하게 뭉친 근육을 풀고 싶은 마음이 간절하다. 도수치료라도. 하지만 어디 그럴 수 있나? 시간이 없다. 직장에서 못다 한 일을 주섬주섬 가방에 담고 퇴근길, 아니 새로운 출근길에 나선다. 엄마의 하루는 어디서 끝나고 어디서 다시 시작되는 건지 알 수 없다. 그래도 아이의 기다리는 모습을 떠올리며 다리에 힘을 빡! 주고 일어선다.

집에 도착하자마자 저녁을 준비한다. 냉동실에 쟁여둔 소고기나 돼지고기를 꺼내 찬물에 잠깐 담가 해동하고 바로 굽는다. 가끔은 고등어도 등장한다. 아주 신속한 과정은 김에 밥을 싸주거나 간장과 참기름에 밥을 비벼주는 것이다. 5분 이내면 완성되는 신속 간단 요리. 요리라고 이름 붙이기가 어색하지만 나는 이렇게 간단해 보이는 요리도 버겁게 느껴진다. 젓가락, 숟가락 하나 식탁 위에 올리는 간단한 일조차 말이다. 밥솥이 밥을 해주는데도 쌀 씻는 것도 힘들다.

SNS나 블로그를 보면 훌륭한 음식 솜씨를 뽐내며 음식을 더 먹음직스럽게 플레이팅(plating)하는 엄마들이 많다. 그중에는 워킹맘도 있다. 어떻게 그들은 바쁜 일상에서도 모든 걸 다 잘할 수 있는지 궁금하다. SNS에서 보이는 완벽한 모습이 과연 일상생활에서도 그대로일까? 사진에서만 완벽해 보이는 모습일까? 그러지 않기를 바라는 마음이 꿈틀거린다. 조금이라도 허술한 모습이 보인다면 조금은 위안이 될 것 같았다. 이유는 내가 정말 엉성해서 말이다. 아니면 나도 그들처럼 완벽한 엄마의 모습을 꿈꾸고 있었던 걸까?

SNS에서 팔로워가 3만 명이 넘는 엄마의 접시를 따라 샀다. 그녀와 같은 접시에 음식을 담으면 내 요리도 좀 더 그럴듯해 보이지 않을까 하는 기대 때문이었다. 하지만 현실은 상상과 달랐다. 분명 같은 그릇을 썼는데도 그녀의 음식은 작품처럼 빛나고, 내 음식은 '평범'에도 미치지 못

하는 것 같았다. 결과에 초라함이 밀려왔다. 문제는 그릇이 아니었다. 똑같은 고기와 생선이 올라가는데, 질 좋은 그릇이 무슨 의미가 있나? 김은 죄가 없는데 김만 싸주는 내 마음은 왜 이리 죄책감이 가득한 것일까.

잘 알지도 못하는 SNS 속 엄마와 계속 비교하다 보면 자책으로 이어진다. 게다가 그녀의 완벽한 일상을 보고 있으면 환상을 품게 되고, 나도 모르게 자꾸 따라 사게 된다. 그렇게 불필요한 소비가 점점 늘어나고, 우리 집 가계에도 영향을 미친다. 이쯤 되니 문득 생각해본다. 나는 지금 누구를 위해, 누구의 배를 불리고 있는가?

이렇게 말을 한번 건네 보고 싶다. 어떻게 하면 나도 그런 완벽한 엄마가 될 수 있는지도 묻고 싶었다.

'벽이 느껴지네요. 완벽'
'아니, 워킹 맘인데 못해야 정상 아닙니까?'

좋은 그릇을 사서 반찬이 잘 보인들, 그게 무슨 큰 의미가 있을까. 내 아이의 배고픔을 얼른 채우는 게 가장 중요하지 않을까. 결국 예쁜 그릇은 엄마인 나에게만 중요한 것이었다. 그렇게 허세를 부려본 끝에 정신을 차리고 깨달은 건 '그냥 잘 먹기나 하자.'였다. 허세에 들인 돈에는 그릇 비용 말고도 바쁜 일상에서도 단정하고 따뜻한 엄마이고 싶었던 위로 비용도 같이 지불했다 생각하기로 했다.

화가 나는 육아

목욕을 좋아하는 아이로 키우기 위해 놀이 목욕을 해주었다. 목욕 놀이에 유명하다는 일명 '국민템'(국민아이템) 장난감을 목욕탕에 넣어주고 세제 거품을 우유인 척, 라테인 척 만들며 손님과 점원 역할놀이를 해주었다. 그러한 노력은 나의 의도에 딱 맞게 돌아갔다. 이러한 노력 덕분에 목욕을 싫어하던 아이들은 일단 목욕탕에 들어가면 아주 즐겁게 목욕한다. 항상 30분 넘게 욕실에서 시간을 보내는 걸 보면 나의 의도와 노력이 통한 듯하다. 하지만 가끔은 후회도 남는다. 10분 안에 두 아이 모두 샤워시키고 저녁을 먹이려는 계획이 항상 내 뜻대로 이루어지지 않기 때문이다. 나는 밤 9시 전에 육아 포함 전 집안일의 과정을 모두 끝내고 쉬고 싶다. 계획대로 되지 않으면 너무 화가 난다. 화가 나다 못해 분노가 치민다. 이상하지 않은가? 그럴 수도 있는데 왜 이렇게까지 화가 나는지 잘 모르겠다. 비단 목욕할 때뿐만이 아니라 화가 건드려지는 여러 상황이 있다. 내가 이렇게 화가 많은 사람인가? 나는 따뜻하고 좋은 사람이라고 생각했는데. 상대방에게도 말이다.

화가 나는 포인트는 어디?

저녁을 차리면 딱 밥 연기가 모락모락 올라올 때 앉아서 먹었으면 좋겠다. 이것도 내 맘대로 되지 않는다. 아이들은 부르면 그 즉시 오지 않는다. 좀 빨리 와서 먹고 치우면 좋겠고 10시쯤에는 모두 잠이 들어 자유 시간을 갖고 싶다. 못한 일을 하고 싶다. 이것저것 하고 싶은 욕구가 마구 올라온다. 지나고 돌아보면 화내고 후회하는 적이 한두 번이 아니다. 대부분 나의 욕구와 관련된 것을 뒤늦게 알아차린다. 욕구라는 이유 외에도 화가 나는 이유는 내가 나를 정해놓은 틀이 있어서 그럴지도 모르겠다. '나는 착해', '나는 착해야 해'라는 '틀'이다. 그 '착함'이라는 설정값이 무너지면 나는 갈 길을 찾지 못하는 것 같다. 무너지게 되면 내가 선택하는 것이 '화'는 아닐까? 화가 나는 상황이 누구보다 싫지만 어디로 감정을 흘려보낼 줄 몰라 화가 나는지도 모르겠다. 화가 나면 '너 이러면 안돼잖아.' '넌 착하잖아.' '착한 엄마잖아.' 라고 보내는 신호가 괴롭다. 속으로만 삭이는 내 모습도 못마땅하다. 내가 정한 설정값대로 살 수 없게 만드는 것이 육아라는 것. 진실은 육아하며 진정한 내 모습을 발견하는 걸지도 모른다. 육아는 나의 틀을 파괴하고 원래의 내 모습을 찾아가는 것일지도.

"학생은 목소리가 참 부드럽고 예쁘네. 근데 결혼해 봐. 그리고 아들 낳으면 목소리가 아주 걸걸해질 거야.'

"네?"

"맨날 소리 지르고, 아휴- 애들이 얼마나 말을 안 듣는지 몰라. 소리를 질러야 그나마 듣더라고. 나도 젊었을 땐 학생처럼 목소리가 고왔는데."

대학생 때 미용실에 가서 머리를 하는데 미용사가 이런 말을 했다. 당시에는 무슨 말인지 몰랐지만, 아이를 낳고 나니 이해가 간다. 그 말을 듣고 나는 절대 그렇게 되지 않을 거라 확신했었다. 정말 착하고 좋은 엄마가 될 거라고 그 짧은 순간 다짐을 했었다. 엄마가 되고 과거에 그분이 했던 말이 생생하게 떠오르는 걸 보니 찰나에 깊은 인상을 남겼던 것 같다.

육아를 하는 한 계획은 항상 어긋난다. 화가 나는 이유는 계획대로 되지 않아서인데 마음을 삭이며 생각한다. '어른도 계획대로 다 따르지 못할 때가 많은데 아기는 더하겠지, 다하면 로봇이지 안 그래?' 그걸 알면서도 화가 난다. 내 안에 천사와 악마가 공존하는 것 같다. 분열이 일어난다. 아이들을 데려와 밥을 먹이고 나도 남은 밥을 대충 입에 욱여넣는다.

'엄마, 우유 줘,'
'엄마, 물 줘'
'엄마, 밥 더 줘.'

'휴. 나도 밥 좀 편하게 먹자, 이 자식들아-!' 속으로 외친다. 여전히 착하고 싶은 마음을 버리지 못한 나는 아이와 멀어질까, 아이들이 상처받을까 봐 쉽게 화를 잘 내지 못한다. 화를 낸다고 해서 엄마를 미워할 아이들이 아닌데, 나는 무엇이 그렇게 두려운 걸까?

두 아이가 겨우 잠이 들고 나면 새벽 12시가 된다. 팽팽했던 고무줄이 느슨해지듯 그제야 마음도 조금 느긋해진다. 하루의 마무리가 아쉬워 뭔가를 해야 할 것 같지만, 늦은 밤은 아주 짧다. 할 수 있는 건 고작 스마트폰을 여는 것이다. 뉴스 콘텐츠를 보거나 드라마를 감상하며 정신적으로 도피하는 시간은 나만이 누리는 탈출구가 된다. 죄책감과 미안함이 뒤엉킨 육아의 밤. 매일 아침과 밤은 그렇게 지나간다.

비난의 목소리

지친 마음으로 시작한 하루는 지친 몸으로 끝이 난다. 침대에 눕는 순간에도 고단함은 온몸을 짓누르고, 눈을 감기 무섭게 또다시 아침이 찾아온다. 늘 같은 휴대전화의 알람 소리가 나를 깨우고, 어김없이 반복되는 하루가 시작된다.

침대에 누우면 끊이지 않는 비난의 목소리가 맴돈다. 마치 높은 곳에서 나를 내려다보며 비웃는 누군가의 얼굴처럼 선명하다. 그 목소리는 내가 부족하다고, 나를 증명하지 못했다고 몰아세운다. 벗어나고 싶지만, 매일 그 소리가 나를 붙잡고 늘어진다.

'그러게 누가 애 둘을 낳으래?'

'결혼은 괜히 해서 말이야.'

'남편은 정말 도움도 안 돼. 쓸모없어.'

'누구야 주말부부 부럽다고.'

'누가 주말부부는 전생에 나라를 구했다고 했는가? 전생에 공덕을 쌓았냐고?'

'낸들 아냐고'

마음속 비난과 원망의 소리가 나 자신과 남편을 향해 합창한다. 끝이 나지 않는 원망의 악보 속 되돌이표는 언제까지 계속될까.

연애하던 시기. 우리는 아니 나는 주말부부도 잘할 수 있을 거로 생각했다. 주말부부라고 하니 주변에서는 전생에 나라를 구한 거 아니냐며 부러워했다. 도대체 이 말의 근원은 어디서 나온 것일까? 남편과 주중에 떨어져 지내는 건 싫었지만 속담인 듯 아닌 듯 모두가 공통으로 그렇게 말을 하니 주말부부가 진짜 좋은 건가보다 했다.

아이가 생기가 전까지는 그럭저럭 결혼 전의 삶과 다르지 않았다. 직장도 원래 가던 시간으로 잘 출근했고 대부분은 한 시간 정도 일찍 도착해서 일을 준비했다. 직장에서 일도 더 열심히 했다. 그런데 아이가 태어나고 나니 출근 시간은 5분 전 이나 겨우 딱 맞춰 들어갔다. 가끔은 지각하는 일도 생겼다. 일도 예전에 하던 만큼 시간을 더 늘리거나 생각한 기준의 양만큼 다 할 수 없었다. 못다 한 일은 가방에 싸서 집에 가서 해야지! 하고 챙겨가지만, 하나도 못 하고 다음 날 들고 간 가방째로 다시 출근한다. 육아를 하며 목표가 낮춰졌다. 그냥 아프지만 않게 출근이라도 잘하자는 게 목표가 되었다. 일도 본인이 하고 싶은 양만큼 다 하고 퇴근하는 남편이 부럽기까지 했다.

'나는 육아하러 출근하는데 남편은 일도 충분히 하고 운동도 하네!?'

'주중에는 잠도 편하게 자니까 얼마나 좋아! 진짜 부러워.'

탈출구 없이 자유로워지고 싶다. 차라리 죽으면 이 생활이 끝날까? 남편과 헤어지면 좀 나을까? 이 답답한 생활에서 언제쯤 벗어날 수 있을까?

내가 선택한 삶인데 왜 이렇게 힘든 건지 모르겠다. 모든 문제는 나에게 있는 것인가? 남편이 밉다. 전생에 나라를 구하기는 개뿔. 축복을 받은 것이 아니라 저주를 받은 것은 아닌지 모르겠다. 이 관용어에는 조건이 빠져있다. 주말부부를 하되 초등학교까지는 함께 살 것이라든지, 되도록 한명은 휴직해서 함께 살면 가능한 좋을 거라는 조건 같은 조언 말이다. 이 말은 어쩌면 주말부부를 위로하려고 만든 문장일 수도 있다. 멀리서 살면 서로가 결혼을 꺼릴 수도 있으니까 이런 생각을 없애기 위해 좋은 말로 포장해 놓아 만든 문구일지도 모른다.

밥숟가락 하나 식탁 위에 올리는 것도 버거운 삶.

나는 왜 엄마가 된 걸까?

불편한 두 가지 기억

"나는 아기가 별로 안 예쁜데."

나는 이상하게 아기가 별로 예쁘지 않았다. 가끔 아기가 너무 예쁘다며 호들갑을 떠는 친구가 잘 이해되지 않았다. 결혼 전, 나는 아이들을 그다지 좋아하지 않았다. 아주 싫었던 것도 아니고 특별히 좋아했던 것도 아니다. 싫고 좋음의 합을 10이라고 한다면, 중간에서 살짝 싫은 쪽인 7 정도였다. 아기를 보면 '아, 귀엽다!'고 반응하는 다른 사람들처럼 그렇게 되지 않았다. 그저 '아.... 그냥 아기네'하고 덤덤하게 바라볼 뿐이었다.

왜 그랬을까? 자신에게 물었다. 아기를 안 좋아하게 된 이유나 어떤 계기가 있었던 걸까? 곱씹어 보니 어느 순간부터 아기들에 대해 거리감이 생겼던 것 같다. 곱씹어 보며 생각하고 또 생각하다 두 가지 기억이 떠올랐다.

첫 번째 기억: 사랑의 중심에서 밀려났던 순간

나는 집안의 첫 손녀다. 첫째 손주라는 타이틀. 첫사랑 같은 존재로 모든 가족의 사랑을 듬뿍 받으며 자랐다. 명절이면 가족들은 나를 중심으로 앉아 둘러앉았다. 할머니와 할아버지에게 나는 세상 전부였다. 생일 선물, 크리스마스 선물도 늘 먼저 받았고 할머니가 한글을 배우고 삐뚤빼뚤 적어주신 첫 편지의 주인공도 나였다. 그런 내가 13살이 되었을 때, 아주 어린 사촌 동생이 태어났다. 삼촌과 작은엄마가 10년의 기다림 끝에 얻은 귀한 남자 쌍둥이였다. 시골 할머니 댁에 가면 가족들이 쌍둥이를 둘러싸고 앉았다. 항상 그 원의 중심이었던 나는 원 밖으로 밀려나게 되었다. 서러웠다. 순간 눈물이 차올라 뚝뚝 떨어질 것 같아 화장실에 도망치듯 들어가 눈물을 닦았다. 아기들이 무슨 잘못이 있었겠느냐만, 아기들을 향한 묘한 감정이 마음을 비집고 솟아올랐다. 질투였다. 나보다 몸집이 엄청나게 큰 감정을 온몸으로 느낀 날, 이 감정을 어떻게 다루어야 할지 몰라 혼란스럽고 당황스러웠다. 질투를 느끼는 내 모습이 싫었다. 6학년 누나는 그래서는 안 된다고 생각했다. 머리로는 다른 어른들처럼 아기들을 사랑스럽게 바라봐야 한다는 걸 알면서도 좀처럼 사랑을 빼앗겼다는 느낌은 내 안에서 쉽게 사라지지 않고 괴롭게 했다. 사랑의 중심에서 밀려난 순간, 내 세상이 무너지는 것을 경험했다.

두 번째 기억: 불편한 울음소리

지하철, 열차 그리고 비행기 같은 대중교통을 이용할 때면 어디선가 아이 울음소리가 종종 들려왔다. 속으로 생각했다.

'왜 저렇게 어린아이를 데리고 멀리까지 가는 걸까?'

겉으로는 참으며 티를 내지 않았지만, 속으로는 그 울음소리가 불편했다. 불편한 진실은 단순히 아이를 데리고 멀리까지 가는지에 대한 궁금증이 아니었다. 조용한 공간에서 방해받고 싶지 않은 마음에서 비롯된 불편함이었다. 한편으로는 내가 아이들에게 느꼈던 거리감이 마음 깊은 곳에서 이러한 상황마다 드러난 것일지도 모른다.

이런 기억들이 쌓이고 마블링처럼 얽혀 나는 아이를 좋아하지 않는 사람이 되었는지도 모르겠다. 그러던 내가 결혼하고 엄마가 되었다. 솔직히 말하자면, 아이를 꼭 낳고 싶었던 건 아니다. 결혼 후 자연스럽게 따라가는 과정이라고 생각했다. 그저 당연한 순리라고 생각했다.

첫째를 임신했을 때 기쁨도 컸지만, 임신은 당연한 것으로 생각했기에 그 과정을 이제 밟아가는 거구나 생각했다. 슬픈 감정도 밀려왔다. '엄마, 아빠가 이제 할머니, 할아버지가 되는구나.' 엄마, 아빠가 할머니가 된다는 사실이 슬펐다.

세월의 흐름도 있었겠지만 내가 아기를 가짐으로써 부모님과 할머니, 할아버지를 한꺼번에 다른 세대로 밀어내는 것 같았다. 엄마, 아빠가 할머니라니. 젊고 젊었던 우리 엄마, 아빠가 어느새 그 윗세대가 된다는 것이, 그리고 할머니, 할아버지가 증조할머니, 증조할아버지가 된다는 것이 서글펐다. 임신 때문에 감정이 예민해졌던 탓이었을까? 감정이 롤러코스터처럼 오르락내리락했다.

그런데 엄마가 되었다.

아이를 낳고 모든 것이 변했다. 아이를 낳으면 엄마도 아이와 함께 1살이 된다는 말을 들었는데, 정말 그랬다. 아이를 낳기 전에는 전혀 와 닿지 않던 말이었지만, 나도 이처럼 엄마로 새로 태어난 삶을 살게 되었다.

아이를 낳으니, 삶의 우선순위가 자연스럽게 바뀌었다. 남편은 아이에게 순위가 밀렸다. 아이를 향한 사랑은 기존에 내가 알던 사랑과는 아주 다른 차원의 것이었다. 심지어 나에게 관심을 두는 것보다 아이를 더 좋아하거나 칭찬해 주면 기분이 좋았다. 나의 아이가 칭찬받는 것이 곧 내가 칭찬받는 것처럼 느껴졌다. 딸아이와 나는 분명 서로 다른 인격체인데도 이상하게 한 몸처럼 느껴졌다. 아이가 울면 마음이 요동쳤고, 남편이 아이를 혼내기라도 하면 혼나는 사람은 아인데 마치 내가 혼나는 것처럼 화가 치밀었다. 놀이터에서도 모르는 남자아이가 괜히 딸에게 다가오면 혹여 해코지하지 않을까 긴장되었다. 심장이 두근거렸지만 억지로 온화한 미소를 지으며 아무렇지 않은 척 노력했다. 하지만 진짜로 짓궂은 남자아이가 딸아이를 밀거나 때리기라도 하면 속에서 묘한 감정이 솟구쳤다. 보호 본능, 분노, 무력감이 한꺼번에 뒤섞였다. 이런 내 모습을 보며 어린 시절 학교에서 남자아이들을 별로 좋아하지 않았다는 기억이 떠올랐다. '꽃돼지'라 놀리며 장난쳤던 그 남자아이들. 그런 무의식이 지금 튀어나온 것일지도 모른다.

아이를 바로 낳으면 모성애가 바로 생길 줄 알았다. 하지만 아니었다. 아이를 키우며 시간을 보내는 동안 아이와 부대끼며 함께한 시간 속에서 마음에 점점 스며드는 것이었다. 가랑비에 적시듯 말이다. 나는 아이를 나와 동일시하며 조금씩 엄마가 되어갔다.

결혼 전 한 3년 동안 앵무새를 키운 적이 있다. 사이가 좋았던 모란앵무 한 쌍이었다. 몇 개월 후, 암컷이 알을 낳았다. 암컷은 수컷보다 먼저 키운 새였는데, 파란색이어서 파랑이라고 불렀다. 부리가 검은색이었던 아주 어린 애기 새였을 때부터 이유식을 먹여가며 애지중지 키웠다. 잘 길들여진 파랑이는 내 손을 잘 따랐고, 어깨에 앉아 놀곤 했다. 수컷 노랑이가 오고 알을 낳은 뒤 파랑이는 성격이 아주 예민해졌다. 알을 낳은 후에는 먹이를 주려고 새장 문을 열기만 해도 알통에서 재빠르게 달려들어 내 손을 세게 물었다. 물린 손은 어찌나 아프던지 집게에 찝힌 것처럼 자국이 오래 남았다.

나를 따르던 앵무새가 이렇게 변하다니, 배신감을 느꼈다. '알을 낳으면 이렇게 예민해질 수 있나? 나를 이렇게 물다니.' 정말 속상했다. 지금 와서 생각해 보니, 이제야 그때의 파랑이를 이해할 수 있을 것 같다. '그때 넌 내가 미워서 그런 게 아니었구나.' '엄마가 되니 그냥 본능적으로 예민해진 거였구나.'

이제 예민했던 앵무새 파랑이는 내가 되었다. 본능적으로 예민해지고, 아이를 지키고 싶은 마음이 강렬해졌다. 그때의 파랑이가 지금의 나를 통해 또 다른 방식으로 이해된다. 엄마가 된다는 것은 본능과 감정이 새롭게 깨어나는 과정이라는 것을 이제야 깨달는다.

몸 어딘가에 대해 몰랐던 새로운 기능이 숨겨져 있었나 보다. 엄마가 되면서 그 기능이 활성화된 것 같았다. 그것도 자동으로. 마치 만화 속 로봇이 어떤 버튼을 누르면 몰랐던 기능들이 업그레이드되는 것처럼 말이다. 버튼이 나도 모르게 엄마가 되는 순간 자동으로 눌리는 거였다.

새로운 시선이 생기다

아기를 낳고 어느 날 텔레비전을 틀었다. 우연히 돌린 채널에서 세월호 아이들에 대한 뉴스가 나오고 있었다. 사고 후 4년이 흘렀지만, 그날의 기억은 여전히 생생하다. 당시에도 큰 충격과 슬픔을 느꼈지만, 엄마가 되고 나서 그날을 떠올리는 마음은 더 깊은 고통으로 다가왔다.

아이가 없을 때 와 있을 때 느끼는 슬픔은 비교할 수 없을 정도로 달랐다. 가슴이 찢어질 듯 아팠다. 부모가 되고 나니 그 아이들의 부모가 느꼈을 절망과 고통을 조금이나마 더 이해할 수 있었다. 만약 내 아이가 그 차가운 바닷속에 있었다면, 숨조차 쉴 수 없고 몸이 산산이 부서지는 기분이었을 것이다.

진정한 위로나 공감이란, 아픔을 실제로 경험하지 않고서는 온전히 전달되기 어려운 것 같다. 너무 큰 슬픔 앞에서는 공기마저 슬퍼, 말로 표현하는 것조차 조심스럽다. 차가운 겨울 바다를 보며 "춥겠다"고 짐작하는 것과 직접 발을 담갔을 때의 그 극한의 추위는 하늘과 땅 차이인 것처럼 말이다.

첫째를 낳고 1년 후, 둘째를 임신했다. 그러나 2년에 걸친 임신은 모두 12주와 13주 차에 유산으로 끝났다. 첫째를 건강하게 임신하고 낳았기에 둘째도 자연스럽게 잘될 거로 생각했던 나는 큰 충격을 받았다. 누구보다 건강에 자신이 있었기에, 건강을 잃었다는 사실이 절망적이었다. 나는 건강 외에는 내세울 것이 없다고 생각했던 사람인데, 건강마저 사라져 버리자 내세울 것이 하나도 없는 것 같아 한없이 작게 느껴졌다. 쓸모없다는 느낌은 나를 우울하게 했다. 하지만 임신은 내가 통제할 수 있는 것이 아니었다. 임신이 더 건강하고 젊었을 때 이루어졌다면 좋았겠지만, 임신을 못 했다고 해서 내가 아예 건강하지 못한 사람이라는 의미는 아니었다. 임신은 건강을 떠나 내 영역을 벗어난 일이라는 생각이 들었다. 나는 그 일을 통제할 수 없었다. 모든 검사를 해봤지만, 원인은 밝혀지지 않았다. 유산을 겪은 후, 왜곡된 사고와 인지가 내 안에 자리 잡았고, 불안과 강박적인 생각에 휘둘리게 되었다.

이후 시험관을 시작했다. 3개월을 주기로 3번의 시험관에 도전했고 1년이 걸렸다. 채취는 3번, 이식은 1번 진행했지만, 안타깝게도 모두 실패했다. 첫 번째와 두 번째 난자를 채취하고 배아가 생성되었을 때 배아가 건강하지 않다고 들었다. 시험관을 준비하는 카페에 가입해서 준비하는 사람들의 과정도 자연스레 공유하게 되었다. 대부분은 20개 넘는 난자가 나오는데, 나처럼 난소의 기능이 저하되어 있는 사람은 10개 전후를 맴돌았다. 주사로도 한계가 있다는 것을 알았다. 채취했지만 그중에서도 난자의 상태가 좋지 않아서 모두 폐기했고 3개월을 기다렸다가 다음 2차를 준비했다. 수량보다도 질적으로 좋은 난자가 더 중요했다. 그 후 건강을 돌보기 시작했다. 스트레칭, 등산, 매일 만 보 걷기 운동을 하며 매일 식단일기를 적었다. 몸에 좋다는 영양제도 챙겼다. 3개월 동안 5kg 이상을 감량했다. 2차에서도 좋은 결과를 얻진 못했고 마지막 세 번째 채취에서 가장 건강한 배아 3개를 얻었다. 비록 이식은 실패했지만, 건강을 잘 관리한 덕분에 내 몸의 세포가 더 건강해졌음을 알게 되었다. 다이어트는 이렇게 해야 하는 것이라는 것을 알았다. 몸의 세포를 되살리는 생각으로 해야 하는 것이었다.

1년의 과정 이후, 시험관 시술을 잠시 쉬어가기로 했다. 3개월 주기로 반복되는 과정이 힘들기도 했고, 너무 임신에 집착하며 매달리던 내가 잠시 여기서 거리를 두면 어떨까 하는 생각이 들었다. 시험관 카페도 탈퇴했고 습관성유산이라는 이름의 단톡방도 탈퇴했다. '1주씩 뽀개기'라는 미션은 나를 더 불안하게 했다. 단편 시리즈 <오징어게임>처럼 단톡방에서 살아남아야 할 거 같은 초조함과 두려움이 있었다. 다음 주에 유산이 되면 어떡하지? 하는 불안을 주었다. 정작 임신이 된 사람들은 시험관 카페에도 없었다. 도움이 되는 부분도 있었지만 나처럼 같은 사연을 가진 사람들까지 함께 머물며 더 깊은 늪에서 한숨짓게 했다. 잘 되는 사람을 보며 부러워하고 말이다.

소개로 한의원에 가서 한약을 지어 먹었다. 이곳에서 약을 지어 먹으면 아들을 낳는다는 소문을 들었다. 몸을 휴식하면서 잠시 집착을 내려놓고 돌보고자 약을 지어 먹었는데 정말 둘째가 생기게 되었다. 종종 어떤 글에서 '임신을 포기했는데 아이가 생겼어요.', '막상 안 가지려고 했는데 아이가 생겼어요.' 하는 글을 보았는데 나도 마음을 잠깐 비워서 그랬던 건지. 시험관에 대한 마음을 놓았던 탓인지 정말 아들을 낳는다는 소문으로 유명한 그 한의원의 한약 때문이었는지 알 수 없지만 임신에 성공했다.

임신 과정도 순탄하지는 않았다. 임신초기 하혈로 병원에 가서 호르몬 주사를 맞고 막달에는 전치태반으로 예정일보다 3주 정도 일찍 아이가 태어났다. 수술 도중 피가 반 이상 빠져나가 수혈을 두 팩이나 받았다. 수술해서 아이를 바로 만날 수 없었다. 고위험 산모여서 아이와 떨어져 지내다가 퇴원하는 날 아이를 만났다. 정말 힘든 시간을 거쳐 만나게 된 아이여서 그런지 더욱 무사히 아이를 만나게 된 순간이 감격스러웠다. 불안으로 마음을 졸였던 시간을 흘려보내고 만나고 싶었던 둘째를 품에 안

게 되어 행복했다. 정말 감사했다. 둘째를 남편이 보여준 사진으로 먼저 보았는데 보자마자 사랑에 빠져버렸다.

둘째의 성별은 남자였다. 약 16주쯤 되었을 때 알게 되었다. 의사 선생님은 다소 모호하게 말씀하셨기에 확신할 수는 없었지만, 60% 정도의 가능성을 염두에 두고 아이를 맞이할 준비를 시작했다. 처음 그 이야기를 들었을 때는 걱정과 두려움이 앞섰다. 초등학교 시절 우리 반의 남자아이들을 떠올리면, 짓궂고 장난만 치던, 별로 좋지 않은 기억으로 남아 있는 아이들이 많았다. 물론 모든 남자아이가 그런 건 아니었다. 몇몇 내가 좋아했던 남자아이들은 나를 좋아하지 않았고, 학창 시절의 짝사랑은 한 번도 이루어지지 않았던 기억이 겹쳐 떠올랐다.

아무튼 배 속 아이와는 관계없는 남자아이에 대한 추억이 떠오르며 편견이 생겼다. 남자라고? 내가 뭘 해줄 수 있을까? 막연히 몸속 아이와 거리가 느껴졌다. 첫째가 딸이라 나중에 성별이 같으면 서로 아웅다웅 잘 지낼 수 있을 것 같아서 딸이어도 좋을 것 같았고, 친정엄마와 이모가 나이 들어 잘 지내는 모습을 보니 좋아 보였다. 종손인 남편을 생각하면 아들을 낳아야 시댁에서 좋아하실 것 같기도 했다.

'내가 아들을 잘 키울 수 있을까?'
'아들을 어떻게 이해해야 할까?'

막상 남자아이를 낳고 보니, 그동안 과거의 추억을 떠올리며 걱정했던 시간은 아무 의미 없었다. 편견을 가질 필요도, 걱정을 할 필요도 없었다. 성별을 떠나 아기는 정말 사랑스러웠다. 나의 기도를 듣고 먼 시간에서 나를 찾아온 천사였다. 남자아이 옷이 이렇게 귀엽고 예쁜 줄 몰랐다.

딸 옷만 예쁜 줄 알았는데 이렇게 귀엽고 사랑스러울 줄이야. 그 작은 손짓, 웃음, 표정 하나하나가 내 마음을 녹였다.

아이들을 통해 변하다

아이를 키우며 나도 조금씩 변하기 시작했다. 길에서 중고등학생들이 웃고 떠들며 말마다 욕을 섞어 대화를 하는 모습도 귀여워 보였고, 이전에 불편하게만 느껴지던 아이들의 울음소리도 이제는 낯설지 않고 익숙했다. 그 부모의 마음이 곧 내 마음이었다. 안쓰러웠다. '에고, 얼마나 힘들까?' 생각이 늘었다.

아들을 군대에 보낸 어떤 엄마의 영상을 우연히 보게 되었다. 선배 엄마는 아들이 군대에서 보낸 사복과 운동화 등이 담긴 택배 상자를 받고, 상자를 부둥켜안고 울고 있었다. 나도 모르게 감정이 이입되고 눈물이 났다. 언젠가 내 모습이 저렇지 않을까 생각했다. 아들을 군대에 보낸다고 생각하니 가슴이 아려왔다. 군대 같은 건 사라지면 얼마나 좋을까.

아들이 군대에 갈 걱정을 했다면, 딸은 결혼해서 언젠가 떠나게 될 생각에 마음이 허전해졌다. 요즘은 시집을 간다는 말보다 신랑이 처가로

장가를 온다는 말도 많지만, 딸을 키우는 마음은 아들보다 더 섬세한 감정의 실들이 여러 갈래로 얽혀 있는 것 같다.

그나저나 우리 친정엄마는 내가 결혼할 때 속이 그렇게 후련했을까. 엄마가 너무 환하게 웃던 모습이 떠오른다. 마치 노처녀 딸을 드디어 "치워버려서" 느꼈을 기쁨이 더 컸던 것 같아 괜히 섭섭하기도 하고 기가 막혀서 웃음이 난다.

커다란 아이의 사랑

퇴근 후 집에 들어서면 둘째 아이가 달려와 내게 안긴다. 대략 손바닥 정도 되는 작은 품. 아이가 안기는 것인데 오히려 반대로 내가 그 품에 안기는 듯하다. 작은 품이 너무 따뜻해서 하루의 무게가 스르르 녹아내리고 아이의 온기에서 하루의 피로가 씻겨 나가는 것을 느낀다. 작은 아이의 어깨가 하루를 견뎌낸 나에게 충분한 위로를 준다. 많은 말이나 특별한 행동이 필요하지 않다. 그저 그 작은 어깨를 끌어안기만 하면 된다. 마치 내가 하루에 필요했던 위로의 양이 딱 그만큼이었다고 느낄 만큼. 어떤 외적인 보상보다 강한 힘이 있다.

아이의 존재는 때로 말로 다할 수 없는 위로와 안식을 준다. 작지만 강한, 그 작은 품이 주는 힘을 매일 느끼며 감사한다.

첫째를 키울 때도 그랬지만 둘째를 키우는 지금도 육아는 너무 힘들다. 매일 전쟁 같고, 하루가 끝나면 온몸이 녹초가 된다. 시간이 지나 가끔은 아이의 더 어린 시절의 모습이 생각나고 그립다. 그때로 다시 돌아간다면 좀 더 좋은 엄마로 더 많이 안아주고 사랑해 주고 싶다고 생각한다. 그 시절이 너무나 고되었지만, 시간이 흘러 정확히 구체적으로 잘 기억나지 않는다. 힘들었지만 정말 보물 같은 시간이었다고 기억한다. 다시는 돌아갈 수 없는 그 시절이다. 시간이 지나 좋은 기억만 남기고 잊힌 것일까. 아니면 너무 힘들어서 기억조차 나지 않는 것일까. 기억력의 한계에 감사해야 할까.

당시에는 절대로 그리워하지 않을 거라 확신했다. 그런데 이상하게도 시간이 흐르니 그때가 그리워진다. 몽글몽글 부드러운 아이의 미소와 엄마 껌딱지였던 그때가. 그래서 또 둘째를 낳고 또 셋째를 낳는 건가보다.

기억은 휴지의 어떤 특성과 성질이 비슷한 것 같다. 영어로 뇌 조직을 브레인 티슈(brain tissue)라고 부르는 것처럼 우리의 기억도 섬세하고 복잡한 구조를 가진 조직과 많이 닮았다. 휴지는 물에 닿으면 쉽게 녹아버린다. 기억도 시간이라는 물에 녹으면 희미해지듯 때로는 강렬했던 기억도 세월이 흐르면 그 윤곽을 잃어간다. 시간이 지나면 그 고된 기억이 물에 젖은 휴지처럼 희미해진다. 육아의 시간은 매일매일 쌓이지만, 마치 바람에 날리는 휴지 조각처럼 그 기억들은 쉽게 흩어진다. 잠들지 않으려 버티던 아이의 울음소리, 엎질러진 이유식에 한숨 쉬던 순간들, 그리고 가끔 찾아왔던 좌절감. 그 모든 순간이 분명 힘겨웠는데, 지금은 선명하지 않다.

아이의 몽글몽글한 냄새와 사랑스러운 미소, 그리고 엄마 곁에서만 안정을 찾던 그 껌딱지 같은 모습은 또 다른 기억의 조각으로 남아 있다. 이 조각들은 시간이 지나도 희미해지지 않고 가끔 다시 떠오른다. 그때는 힘들어서 '나중에 시간을 되돌릴 수 있어도 절대로 육아하던 시절로 돌아가지 않을 거야.' 라고 말했지만, 지금은 그 시절이 그립다.

육아는 휴지 그 자체 같기도 하다. 마치 한 장씩 뽑아 써야 하는 소모품처럼 매일의 에너지가 조금씩 사라져 가지만, 그 과정에서 소중한 흔적들이 남는다. 아이가 처음 내 이름을 불렀던 순간, 처음 걸음을 뗀 날, 나를 바라보며 환하게 웃던 그 표정은 그 흔적 중에서도 가장 귀한 것이다.

휴지가 물에 젖어 흐릿해지는 것처럼 육아의 기억도 시간이 지나면 희미해지지만, 한편으로는 바람에 날리듯 흩어진 조각들이 또 다른 계기로 하나로 뭉쳐져 모일 때가 있다. 아이의 웃음소리, 함께 놀던 공원의 풍경, 혹은 아이가 썼던 작은 신발 같은 사소한 것들이 갑자기 그 시절의 기억을 소환한다.

육아는 소모적이고 힘들지만, 동시에 깊이 각인되고 영원히 그리워질 기억의 집합체다. 휴지처럼 연약하지만, 육아의 시간은 서로 연결되어 우리의 삶에 따뜻한 흔적을 남긴다. 시간이 흘러 흐릿해진 기억 속에서 그 시절 아이를 향한 사랑을 깨닫는다.

육아의 빛과 어두움

육아는 우울하다. 몸은 고되며 나 자신이 미워지기도 한다. 잘 처리되지 않은 감정은 괜히 남편을 향하고 만다. 나 혼자 그 짐을 다 짊어진 것처럼 홀로 걷는 느낌이 들 때도 있다. 누군가 이 짐을 덜어주길 바라는 순간들이 가득하다.

그러한 순간에도 아이들의 웃음소리나 작은 어깨를 안으면 작은 거인의 품에서 사랑의 의미를 배운다. 살아갈 이유가 되어주고, 내가 누구인지 다시 찾도록 이끌어주는 나침반과도 같다.

한 선배 엄마가 말했다. 지금의 고생은 나중에 아이들이 다 보상해 줄 거라고. 어떤 물질적인 것이 아니라 더 마음을 쓰고 함께 아이와 마음을 나눈 쪽 부모에게 아이도 마음이 기울어진다는 의미였다. 산책길에 다 큰 딸이 엄마 팔짱을 끼고 가고, 아빠는 홀로 뒤따라가는 집이 있는가 하면 반대로 딸이 아빠의 팔짱을 하고 가는 집도 있다고 했다.

우리 집의 10년 후 모습을 상상해 보았다. 나는 두 가지 그림을 그렸다. 하나는 남편을 뒤로하고 두 아이가 내 양팔을 끼고 걷는 모습, 또 다른 하나는 남편의 양쪽에 아이들이 팔짱을 끼고 걸어가는 모습을 뒤에서 지켜보는 나 자신이었다. 처음에는 소소한 복수처럼 첫 번째 상상을 바랐지만, 잠시 후 두 번째 그림이 더 따뜻하게 느껴졌다. 절로 미소가 지어졌다. 그 모습이 내가 진심으로 바라는 미래라는 것을 깨달았다. 그나저나

10년이 언제 지나갈지 지금은 막막하기만 하다.

아이를 좋아하지 않던 내가 이제는 두 아이의 엄마가 되었고, 아이를 사랑하는 사람으로 바뀌었다. 육아는 단순히 아이를 키우는 일이 아니었다. 그것은 결국 나 자신을 키우는 일이었다. 내가 살아온 흙바닥까지 모두 캐내어 뿌리를 하나하나 점검하고, 다시 심고 돌보는 과정이었다. 그러려면 힘이 필요했다.

탈출할 수 없는 상황이라면 어떻게 해야 할까? 좌절하고 울고만 있어야 할까? 나는 그런 적이 많았다. 방법을 몰랐다. 원래 날개 없는 몸뚱이로 태어났지만, 날개를 잃어버린 느낌이었다. 어떻게든 그 안에서 나만의 탈출구를 찾아야 했다.

나는 상상했다. 끊임없이 지하철을 환승하듯 관점을 바꾸고, 새로운 창문을 열려고 노력했다. 방법을 찾아보고, 시도했다. 노트북을 열어 낙서하듯 글을 썼고 일기를 썼다. 상담을 받았다. 그렇게 빛과 어둠 사이에서 탈출구를 찾고, 건강하게 성장하는 법을 배웠다.

육아에는 빛과 어둠이 공존한다. 그 조화는 육아라는 여정에서 특히 선명히 드러난다. 아이가 태어났을 때 아주 환한 빛처럼 말로 다할 수 없는 기쁨이 있었지만, 육체적, 정신적 피로라는 어두움이 따라왔다. 밤낮없는 수유와 잠을 이룰 수 없는 고통, 무너진 일상의 리듬은 나를 무력감에 빠뜨렸다. 그 어두움 가운데서도 아이가 웃음을 짓거나, 작은 손으로 내 손가락을 힘주어 꼭 잡을 때마다 다시 빛이 스며들었다.

육아 이전의 삶에서도 빛과 어둠이 늘 공존했다. 어린 시절의 밝은 햇살 아래 뛰놀던 기억은 여전히 내 마음속에 남아 있지만 그 시절에도 작은 외로움과 두려움이 스며들었다. 청소년기의 열정과 꿈은 눈부셨지만, 때로는 방황과 실패의 그림자가 그 빛을 가리기도 했다. 대학 시절, 취업을 준비하던 시간은 새로운 빛을 향해 나아가는 여정이었지만, 그 과정에서의 불안과 고민은 어둠처럼 나를 따라다녔다.

지금의 내가 우울하다고 해서 내 삶 전체가 우울한 것은 아니었다. 행복의 순간도 분명 있었다. 아이의 포옹, 남편의 따뜻한 말 한마디와 나갔다 오라는 선물 같은 휴식 시간, 친정엄마가 가져다주는 김치와 밑반찬들, 시어머니의 돕는 손길, 아이들 고모의 방문, 글벗들과 친구들의 응원, 우리 반 학생들의 사랑스러움. 이 모든 것이 나의 삶을 지탱해주는 힘이었고, 곳곳에서 나를 지켜주고 있었다.

이러한 순간들이 마치 어둠 속에서 비치는 작은 빛처럼 느껴진다. 조도가 달라지면 빛과 어둠은 각기 다른 얼굴을 드러낸다. 빛은 어둠이 있어야 더 찬란해지고, 어둠은 빛이 있어야 그 자체로 의미를 가진다. 아이가 낮잠을 자고 있는 고요한 순간, 밀려오는 육아의 피로와 동시에 느껴지는 안도감. 이것이 어둠과 빛의 공존이 아닐까.

아이의 해맑은 웃음소리는 내 삶을 비추는 가장 강렬한 빛이다. 그 웃음소리가 번지는 순간, 삶의 모든 무게가 잠시나마 사라지는 기적을 경험한다. 동시에 육아의 고단함과 스스로를 잃어가는 듯한 감정은 깊고 짙은 어둠이다. 밤늦게 쏟아지는 울음소리 앞에서 무기력함을 느끼는 그 순간들. 중요한 것은 그 빛과 어둠이 함께 있을 때 삶이 더욱 깊어진다는 사실이다. 앞으로도 육아뿐만 아니라 삶에서 빛과 어둠은 계속될 것이다. 조도 차이에 따라 더 깊이 있고 다채로워지듯, 이제는 삶에서 아이와 함께 빛과 어둠의 다채로움을 경험할 것이다.

비로소 친정 부모님의 발자취가 보인다.

눈 쌓인 길을 걸어가다가 뒤를 돌아보면 늘 발자국이 남아 있었다. 쌓인 눈을 밟을 땐 모르지만, 발을 떼고 나서야 비로소 그 발자취가 선명히 드러난다. 발자국이 어떻게 생겼는지 신발을 뒤집어 보기 전까지는 알 수 없다. 신발 하면 떠오르는 전체적인 부분은 살 때부터 알 수 있지만, 산악용이나 특수 신발처럼 바닥의 미끄럼방지가 중요한 게 아니라면 바닥까지 신경 쓰지 않는다. 소복이 쌓인 반짝이는 눈 위에 먼저 발자국을 내는 건 참으로 설레는 일이다. 어린 시절, 그 눈 위에 남긴 내 발자국을 아주 신기한 눈으로 바라보았다. 그동안은 몰랐던 내 신발 바닥의 무늬가 예뻐 보여 한참을 바라보았다.

부모님이 내게 해주셨던 일들이 육아하며 새삼 다시 떠오른다. 그때도 몰랐던 건 아니다. 다만, 너무 당연하게 여겼다. 때마다 차려주는 따뜻한 밥과 반찬, 아침마다 깨워주시던 엄마의 목소리, 정성껏 준비해 주신 도시락과 간식들, 설거지와 빨래. 반복되던 일상이 얼마나 큰 정성과 사랑에서 비롯된 것인지 깨닫게 된다. 지금 생각해 보면 어느 것 하나 쉽게 얻어지는 것이 아니었다. 하지만 신발 바닥처럼 자세히 살펴보지 않았던 것 같다. 이제야 부모님이 남긴 그 흔적들이 얼마나 소중하고 아름다웠는지 알게 되었다.

슈퍼우먼 같았던 친정엄마. 엄마는 일을 하면서도 육아를 완벽하게 해냈다. 요리까지 훌륭했으니 말이다. 엄마는 나처럼 힘든 기색을 내비치지 않았던 것 같다.

매일 저녁 식사를 준비하면서 엄마는 "수저 좀 놔줄래?"라고 작은 부탁을 하셨다. 그땐 생각했다. '작은 일이면 그냥 엄마가 하면 되지, 왜 나한테 시키냐고.' 그걸 불평했던 내가 너무 부끄럽다.

그 작은 부탁이 별것 아닌 줄 알았지만, 사실은 별거였다는 것을 이제야 깨달았다. 가정을 돌보고 요리를 하던 엄마의 모습이 너무 당연하게 느껴졌던 어린 시절. 주는 사랑을 받는 게 자연스러웠던 나는, 이제 엄마가 되어 비슷한 역할을 해보며 그 일이 얼마나 힘들었는지 실감한다. 나는 참 이기적이었다.

얼마 전 친정엄마가 퇴근 시간에 맞춰 집에 들러 저녁을 차려놓고 가셨다. 오랜만에 엄마가 차려준 밥상을 마주하며 마음이 얼마나 따뜻해졌는지 모른다. 퇴근 후 엄마가 차려준 밥상 앞에 앉았을 때, 따뜻한 국물에서 어린 시절 엄마의 정성이 떠올랐다. 그 온기가 지친 하루를 녹여주었다. 지친 하루 끝에 맞이한 엄마의 밥상은 어린 시절 느꼈던 안락함 그대로였다. 엄마의 손길이 여전히 내게 얼마나 큰 힘이 되는지 매 순간 깨닫는다. 저녁 시간에 대한 무거운 부담감이 덜어지니 마음이 한결 가벼웠다. 오랜만에 느껴보는 엄마의 식탁의 온기는 참 포근했다.

육아하며 느끼는 모든 순간은, 부모님이 남긴 발자국이 시간이 지나면서 희미해졌다가 다시 선명해지는 과정 같다. 아이를 위해 소풍 도시락을 싸며 문득 깨닫는다. "아, 부모님도 이렇게 바쁜 아침을 보냈겠구나." 부모님의 흔적이 이제는 내 손끝에서 재현되고 있다.

매일 쌓이는 빨래 더미를 정리하며, 어린 시절 늘 깨끗하게 정돈되었던 내 옷들이 떠오른다. 얼마나 많은 손길에서 비롯되었는지 알지 못했다. 이제는 아이들의 옷을 널며 개며 부모님이 해주신 그 흔적이 나에게 남아있다.

잠든 아이들의 이불을 덮어주며 감기에 걸리지 않기를 바라는 마음은, 어린 시절 밤마다 내 이불을 덮어주던 부모님의 마음과 닮았다. 부모님도 이런 마음으로 나를 보살폈겠지. 사소한 것 하나하나 마음을 써주신 그 사랑이 얼마나 깊었는지, 엄마가 되어 조금 더 많이 헤아릴 수 있게 되었다.

학교 다닐 때 매일아침 깨워주던 부모님의 목소리가 이젠 그저 아득한 기억으로 남아 있다. 하지만 매일 아침 졸린 눈으로 유치원과 어린이집에 가기 싫어하는 아이들을 깨우며 문득 부모님 생각이 난다. '이제는 내 목소리에서 그분들의 목소리가 이어지고 있구나.' 매일 아침 전쟁 속에서도 따스한 추억이 맴돈다.

내 첫걸음마를 잡아준 사람이 부모님이라는 사실은 기억조차 남아 있지 않다. 그저 나 혼자 잘 컸다고 어린 시절 생각했다. 얼마나 무지한 생각이었나. 내가 기억하지 못하는 시간 속에서 부모님은 나를 기억한다. 내 아이의 첫걸음마를 잡아주며 손을 내밀 때, 부모님도 같은 마음으로 나를 바라보시지 않았을까? 내가 넘어질지 걱정하고, 한 걸음 한 걸음을 응원하던 그 순간이 있었을 것이다.

아이들이 잠든 밤, 지친 몸을 의자에 기대며 문득 친정엄마가 떠올랐다. 엄마도 이런 수많은 밤을 얼마나 많이 견뎠을까 생각하니 가슴이 아려왔다.

슬픈 일에는 누구나 공감하고 아파해줄 수 있지만 기쁜 일에 사실 더 같이 내 맘처럼 기뻐해 주는 사람이 많지 않다는 것을 삶을 살아갈수록 느끼게 된다. 누구보다 나의 행복을 바라시고 기뻐하고 좋아하는 사람은 부모님이다. 내가 잘되는 것을 기뻐해 주는 사람, 부모님 밖에는 없었다.

이제는 내가 그 역할을 해나가야 하는 사람이 되었다. 나는 아직도 여전히 어린 애 같고 연약한 것 같아 두렵지만 그 흔적을 따라 한번 해보자고 용기를 내본다.

나는 왜 엄마가 되었을까?

나는 왜 엄마가 되었을까. 이유는 나도 잘 모르겠다. 하지만 분명한 건, 내가 선택한 길이었고, 그 길은 내게 주어진 선물 같은 삶이라는 것이다. 매일 쳇바퀴처럼 반복되는 일상, 끝이 보이지 않는 터널을 지나는 것 같은 날들이지만, 그럼에도 살아내고 싶다. 반복되는 하루가 때로는 지겹게 느껴질 때도 있지만, 그 안에는 안정감과 편안함이 깃들어 있다. 그리고 매일 같은 듯 보이는 일상에서도 삶은 끊임없이 새로운 이야기를 선물한다. 힘든 것이든 좋은 것이든 말이다.

언젠가 아이들은 자라서 나를 떠날 것이다. 그때가 되면, 지금처럼 자유를 갈망하지 않아도 자연스레 더 큰 자유를 누리게 될 것이다. 하지만 그런 날이 오면, 지금의 이 고단하면서도 사랑스러운 육아의 시간을 그리워하며 "그때로 돌아갈 수만 있다면!" 하고 간절히 바라게 될지도 모른다.

육아를 통해 내가 깨달은 것 중 하나는 사랑은 나누면 줄어드는 것이 아니라, 오히려 커진다는 사실이다. 어린 시절에는 누군가에게 사랑을 빼앗기면 내 몫이 줄어든다고 생각했지만, 그건 착각이었다. 사랑은 나의 욕심을 내려놓을 때 비로소 더 풍성해졌다. 그렇게 실패를 겪고 사랑을 나누며, 나는 단단해지고 성장할 수 있었다. 사랑은 끊임없이 새로워지고, 더 깊어지며, 끝없이 확장되는 힘을 가지고 있다.

첫째 딸의 유치원 졸업을 앞두고, 문득 내 초등학교 졸업식 날 엄마가 졸업식장 뒤에서 눈물을 흘리시던 모습이 떠올랐다. 부모가 되어간다는 건 어쩌면 부모님이 걸었던 발자취를 따라 걷는 일일지도 모르겠다. 때로는 부모님의 말씀이 상처로 남았던 기억이 떠올라, 내 아이에게는 같은 상처를 주지 않으려 조심스럽게 말을 고를 때가 있다. 또 어떤 결정을 내려야 할지 막막할 때면, '부모님이라면 어떻게 하셨을까?' 하는 질문이 자연스레 떠오르기도 한다.

부모님께 고마워했다가, 때로는 원망도 했다가, 그렇게 엇갈리는 감정들 속에서 결국 깨닫게 되는 건. 그 모든 순간이 사랑이었다는 것이다. 내가 아이들에게 건네는 사랑 역시 부모님이 내게 주셨던 사랑과 닮았다.

앞으로 얼마나 더 많은 것을 발견하게 될까.

눈 위에 찍힌 선명한 흔적처럼, 따뜻하고 단단한 내 사랑의 흔적을 아이들 마음속에 새기고 싶다. 시간이 지나 흔적이 희미해지더라도, 어느 날 그 흔적이 다시 떠올라 조금이나마 아이들의 삶에 위로와 용기를 줄 수 있기를 희망한다. 내 사랑이 그들의 마음속에 오래도록 남아, 그들의 삶을 따뜻하게 비추는 등불이 되기를 간절히 바란다.

백기사

전산(IT)으로 먹고사는 71년생 경제학도

Prologue

야근... 열정... 정열...그리고 자율...

때는 바야흐로 2024년 11월...태어나서 숨 쉬고 살아온 날이 오늘로 19592일째이다.

숨이 멈춰질 뻔한 적이 두어 번 있기는 했어도, 다행스럽고 감사하게 지금은 앞으로 살아갈 날들에 대한 걱정보다는 희망을 품고 살아가고 있다.

나는 IT업계에서 SI라는 분야 쪽에서 프로젝트라는 일에 투입되어 젊은 시절엔 응용프로그램 개발자로 시작해 현재는 전체적이고 종합적으로 프로젝트를 관리하는 프로젝트 매니저라 불리는 PM(Project Manager) 내지는 프로젝트 내에 한 개 파트를 맡아 관리하는 프로젝트 리더라 불리는 PL(Project Leader)로 일을 하고 있다. 이 외에도 여러 가지 일을 시도하고 있어 프로N잡러의 길을 가고 있는데, 아직까지 가장 중요한 주 수입원은 프로젝트에 투입이 되어야 먹고 사는데 걱정이 없는 상태이다. 그래서 지금은 모처에서 PL로서 프로젝트를 수행 중이다. 소위 주변에서 망한 프로젝트라고 불리는 일에 불구덩이 인 줄 알면서도 뛰어 들었다.

월급 받는 직장 생활을 하는 누구든 일이 너무 하고 싶어 없는 일까지 만들어 야근을 하는 직장인은 찾아보기 힘들다. 그건 나도 마찬가지로 지내왔기에 너무나도 잘 안다. 더군다나 지금처럼 워라밸이 중시되는 시대를 사는 요즈음이라면 더더군다나 야근이란 단어는 삶의 균형을 저해하게 하는 좋지 않은 의미의 단어가 되어 버렸다.

그럼에도 불구하고 근래 나의 생활은 다시 야근으로 점철되어져 지내고 있고, 심한 경우는 월, 화, 수, 목, 금, 금, 금으로 일주일을 보내기도 한다. 그런데, 이런 야근과 주말, 주일 근무가 고통스럽고 괴로우면서도 즐겁고 감사하다. 먹여 살릴 처자식이 없는 화려한 21년차 돌싱인데, 부양해드려야 하는 부모님이 계시고 집안의 여러 우여곡절로 인한 문제들을 짊어지고 있다 보니 그런 생각이 자연스럽게 든다. 경제적인 풍요로움은 당장 확보가 안되더라도 부족함은 없이 지내야 할 텐데, 하고 있는 많은 일로 N잡이라며 수입원이 많아 보이는 것 같아도, 프리랜서로 일하고 있다 보니 수입의 연속성이 완전히 확보되지 않은 상태다. 그렇기에 일이 고되고 정신적으로 많은 압박을 받는 상황이 반복되고 있음에도 견디게 된다. 아니 견뎌내야만 한다. 그런데, 그보다는 맡은 일에 대한 책임감이 괴롭고 고통스러운 상황과 생각을 극복하게 하는 우선적인 동력이 된다.

거기에 스스로도 말려지지 않는 열정과 정열이 더해지다 보니, 프리랜서로 일을 구하지 못해 10개월을 전전긍긍하던 때를 돌이켜보면, 야근마저도 감지덕지해지고 무한 감사하게 된다.

문제는 같이 일하는 동료들의 마음가짐과 태도이다. 모두가 나 같은 상태가 아니고 처한 상황이나 삶의 패턴이 나와 같지 않으니, 지금의 불구덩이와 같은 망한 프로젝트를 살려내기 위해 합심하고 합력하고 협력해야 하는 마음을 먹게 하고 태도를 갖게 하고 행동을 하게 위한 묘수를

PL로서 고민하게 된다. 지금 뿐 만 아니라 매 번의 프로젝트를 할 때마다 이런 고민은 하게 되는데, 이럴 때면 늘 떠오르는 분 중의 한 분이 이순신 장군이시다. 공교롭게도 '신에게는 12척의 배가 있습니다' 하셨던 것처럼 지금 프로젝트의 내 파트 팀원 숫자가 12명이다. 그래서 뭔가 더 극적인 반전을 일으키며 망했다 하는 프로젝트를 재정비해서 오픈할 수 있다고 생각하고 있다.

프로젝트를 수행하는데 있어, 시간과 돈이 투자되지 않고 열정페이로 일을 하게 하는 것은 아니다. 모두들 일한 것에 대한 정당한 대가를 받고 있기는 한데, 야근과 주말, 주일 그리고 휴일 근무까지도 해야 하는 상황이다 보니 이런 상황에서 나는 PL로서 무엇을 어떻게 응원하고 독려할지 고민에 고민을 거듭하게 된다. 걱정을 해서 걱정이 없어진다면 걱정이 없겠네 라는 말이 위안이 되는 건 이런 상황에서는 특히 더 그렇다는 생각을 한다.

그래서 이렇게 물리적으로 일할 시간이 부족한 상황일 때 일수록 인간의 자율을 믿지 않게 되는데, 그럼에도 불구하고 인간의 자율을 믿고 모험을 거는 수밖에 없다. 그리고 파트 팀원들 중에 위트 넘치는 선배 개발자 형님이 한 말이 나에게 큰 자극이 되어 힘을 내고 있다.

'누군가는 망가진 프로젝트에서 어떻게 든 도망치려 하고, 누군가는 망한 프로젝트의 그 자리에 들어가 끝내는 사람이 있는데, 나는 전자보다는 후자가 되길 원한다'

어찌 보면 삶을 대하는 태도도 이래야 한다고 생각해 크게 공감하고 자극이 되어 힘을 내고 있게 된 거다. 그런 상황이 반복되면 말 그대로 '성공한' 삶으로 살아지고 있을 거란 생각은 당연지사 아니겠는가!

지금 이 시각에도 야근에 주말과 주일 그리고 휴일 근무에 시달리고 있을 모든 일하는 분들을 열렬히 그리고 격하게 응원한다. 자신의 삶을 살아내기 위해 열심히 일하고 있는 그 소중하고 귀한 시간들이 모여 우리가 잘 지내고 있고 우리 나라가 잘 되고 있으니까 말이다...!

Episode

매킨토시와 만나다

19592일째를 살아온 날들 중에 전산으로 돈을 벌어 밥을 먹고 산다고 말할 수 있는 날짜가 10,585일이 되어가고 있다. 학창시절이었고 군대를 다녀오며 사회로 진출하려 했던 10대와 20대 초반을 지난 20대 중반부터 30대와 40대 그리고 지금의 50대까지 삶의 절반이 넘는 시간을 소위 컴퓨터로 돈을 벌어 밥을 먹으며 지내왔다.

1985년인 중학교 2학년 때 어머니께서 권유하셔서 강남역 근처에 있던 컴퓨터 학원을 다니기 시작했다. 동네 오락실에서 게임이나 할 줄 알았던 입장이라 컴퓨터가 뭔 지도 모른 체로 컴퓨터 학원을 등록했다. PC라는 개념이 1990년을 전후로 대한민국에 등장하며 각 가정마다 보급되기 시작했기 때문에, 1985년만 해도 집에 컴퓨터를 갖고 있는다는 생각 자체를 못하던 시기였다. 그런 때에 학원에 가서 컴퓨터를 배우려고 하니 이걸 도대체 뭐 하러 배워야 하는 것인지에 대한 생각 자체도 아예 없는 상태였다. 시켜 주시니 다니게 되는 상당히 피동적인 상태에서 컴퓨터 학원을 다니게 되었다. 그런 수동적인 마음 상태를 솔깃하게 해 의지를 불태우게 했던 얘기는, 오락실에서 하는 게임을 내가 직접 만들 수도 있다는 기였다. 그래서 어린 마음에 내가 하는 게임을 만들어보면 재밌겠다는 생각에 순순히 학원에 등록하고 다니기 시작했다.

중학교 한반에 78명씩 배정되어 있던 시절이었음에도, 처음 들어보는 낯설고 생소한 컴퓨터를 배우겠다는 학생들은 많지 않았다. 그랬던 터라 학원에 갔더니 초등학교 6학년 동생 1명과 고등학교 형 1명 그렇게 3명이서 컴퓨터를 같이 배우게 되었다. 맨 처음 배우게 된 것은 Basic(베이직)이라고 하는 컴퓨터 언어였다. 그 다음은 Fortran(포트란)이라고 하는 컴퓨터 언어를 배우면서 산수부터 컴퓨터에 입력해 답이 나오는 과정을 따라하면서 배우기 시작했다. 그러다가 1000줄 정도의 코딩을 따라하며, 간단한 게임으로 인베이더라고 하는 게임의 가장 초기버전 정도까지 만들 정도까지는 배웠었다. 그런데, 내 의지로 배우고 싶어했던 맘이 절대적이지는 않았기 때문에, 중학교 3학년 봄학기 까지만 다니다 흥미를 잃어 더는 배우지 않게 되었다.

그 당시에 컴퓨터를 배울 때 사용했던 컴퓨터 기종이 '매킨토시'라는 지금의 애플사에서 만든 컴퓨터였다. 지금의 PC나 노트북을 그 시대로 가져가서 사용하고 있으면 수퍼 컴퓨터라고 해도 될 만큼 가장 기초적인 PC의 시작이라고 생각하면 되겠다. 그전까지는 개인이 컴퓨터를 사용한다는 게 일반적이지 않았기 때문에 새로운 패러다임의 시작이었다.

학교에서 친구들에게 컴퓨터를 배운다고 얘기하기도 했었는데, 개념 자체가 생소하다 보니 그리고 대학 입시까지는 3,4년이 남은 입장이다 보니 그다지 부러워하는 친구들이 없었다. 배운 것을 친구들에게 얘기했는데 관심을 끌지 못하고 하다 보니 이런 것도 컴퓨터를 배우는데 있어 흥미를 잃게 만드는 요인으로 작용했었다. 그래도 배운 걸 어디 갖다 버리는 게 아닌 한, 나름 따라했던 것들이 그대로 지식으로 남아있어서, PC가 본격적으로 보급되기 시작하던 고3때에도 친구들 중에서는 컴퓨터에 대한 이해나 사용 등이 월등히 높은 수준이었다. 그 때는 집안 형편도 좀 나은 상태였었기 때문에, 고가의 PC를 사서 숙제나 대학 가서 과제 등을 하는데 사용할 수 있게 되었다. 매킨토시로 컴퓨터를 배웠기 때문에 해당 기종을 사려고 했는데, 그때에도 애플의 제품은 보급되기 시작한 마이크로소프트의 제품보다 구하기 쉽지도 않고 가격도 더 비싸고 해서 MS 윈도우가 장착된 PC를 구입해서 사용했다.

컴퓨터를 만든 사람도 있다는 걸 생각하면 '매킨토시'라는 컴퓨터를 이용해 배우게 된 것이 그리 대단한 일은 아닐 수 있겠는데, 그럼에도 대학생 형, 누나들을 포함해 컴퓨터를 제대로 접해보지 못한 사람들이 대부분이던 시절에, 컴퓨터를 먼저 배워 알게 되었다는 건 확실히 훗날의 내 인생의 직업적인 진로의 결정에 있어 많은 영향을 주게 된다.

무슨 일을 하고 살아야 하나

나이가 지천명(知天命)인 50살을 넘은 지도 벌써 꽉 찬 3년이 지나 54살을 바라보고 있다. 나는 과연 '하늘의 명을 깨달음'이라는 지천명 상태인지 스스로에게 되묻곤 한다.

네게 주어진 '하늘의 명'이 무엇인가를 생각해보면 지금 나는 IT SI 분야에서 왜 일을 하고 있고 어떻게 일을 시작하게 되었는지에 대해서도 생각해보게 된다.

미래에 대한 특별한 걱정(?) 없이 살았던 초, 중학교 시절을 지나 고등학생이 되어서도 나는 나의 미래에 대해 고민하기 보다는 현실적인 문제들에 부딪히며 그것들을 해결하는데 더 집중하는 삶을 살아왔다. 한마디로 크게 걱정 없이 보내는 어린 시절이었다.

우리 집안에 여러 번 크고 작은 위기들이 있었는데, 그 중 하나가 내가 중학교 2학년 말 즈음해 아버지께서 해외로 나가셨다가 고등학교 2학년 말 즈음 되어 돌아오신 일이었다. 귀금속 유통 분야에 종사하셨던 아버지께서는 지금은 사라진 미도파 백화점 보석코너 상무를 지내기도 하시며 잘 나가셨는데, 이후 뭔가 잘 안 풀리는 일들이 누적되고 하다 보니 그걸 해결해 보실 목적으로 해외를 다녀오시기로 한 거였다. 결론적으로 아버지의 해외행은 우리 집안에 경제적으로 더 어려움만 가중시키고 어머니만 더 힘들게 만들게 되었다. 그런데, 긍정적인 부분이 있었으니 그것은 가부장적이시고 권위주의 적이셨던 아버지께서, 그래서 집안일로는 음식도 설거지도 빨래도 청소도 안 하시던 분이 그 모든 것을 다하게 되셨다는 거다. 외국에 나가 계신 동안 어지간히 마음고생 몸고생을 하셨는지 그렇게 바뀌어 오셨다.

나는 아버지께서 해외 나가 계서 안 계신 사이 중학생에서 고등학생이 되어 있었고, 한 때 좀 심하다 싶게 공부와는 담을 쌓고 놀았다. 기에 바빠 공부를 해야 하는 중요한 시기를 그냥 흘려 보낸 덕에 급기야는 고등학교 2학년 때 이과 반이었다가 대학 진학을 하려고 생각해보니 수학 점수가 너무 안 나와서, 고3 진학하면서 문과로 진로를 바꿔 전과자(?)가 되었다. 그래서 경제학과에 입학하게 되어 경제학도가 되었다.

대학에 들어가서는 방학 때마다 아르바이트를 열심히 했다. 여행 자유화와 경제 발전의 영향으로 그 당시 대학생들 사이에서 트렌드였던 해외 배낭여행을 생각해보기도 했는데 그것보다는 사회생활 미리 준비하자는 차원에서 방학 때면 닥치는 대로 아르바이트를 했었다. 백화점 알바, 중국집 배달 알바, 분식집 배달 알바, 전국 다방을 돌며 견본 샘플 나눠주고 스티커 붙여주고 오는 알바, 공사현장 막노동, 버스에서 볼펜 팔기, 호프집 알바 등등등...

아르바이트를 하면서 쌓은 경험은 지금 일을 하면서도 그 때 아르바이트 하길 잘 했다는 생각이 들게 할 `만큼 살면서 여러 가지로 도움을 주고 있다.

그렇게 다양한 아르바이트를 경험했고, 대학 2학년 때 R.O.T.C를 지원해 대학 졸업하면서 임관하고 군대를 소위로 시작해 중위로 제대했다. 제대 즈음해서 여러 회사에 입사 지원을 했고 여러 군데 합격을 했는데, 그 중에 그룹 공채로 합격한 회사를 선택해 신입 사원 연수를 다녀왔다. 대학 전공을 경제학을 했다 보니 계열사 중에 보험회사로 발령이 났다. 그런데, 전산실로 지원해서 갈 수 있는 기회가 생겼고 그렇게 전산실로 발령이 났다.

신입사원 연수 마지막날 발령 받은 계열사의 인사팀장님들께서 오셨고, 그 과정에서 내가 발령 받은 보험회사의 인사팀장님께서 전산실에 신입사원이 필요한데 지원할 사람이 있냐고 물어보셨다. 가장 먼저 손을 들었고 다른 입사 동기들 중에 관련 학과 전공자들이 있었음에도 지원자가 없어 내가 전산실로 발령을 받게 된 거다.

그렇게 금융업계인 보험회사 전산실의 신입사원으로 일을 시작하게 된 게 지금의 IT SI분야에서 일을 하게 된 시작이었다.

IMF로 SI생태계에 뛰어들다

신입사원으로 전산실에 발령 받았을 때 조건이 있었다. OJT(On the Job Training) 기간을 주고, 그 기간이 끝나면 평가를 받아 전산실 근무를 계속하게 할 지 정해서, 만일 계속 근무하기 적합하지 않다는 평가를 받으면 영업소로 나가게 된다는 조건이었다.

중학교 2학년 때부터 컴퓨터를 배워 알고 있고, 대학 시절에도 마지막 겨울 방학 때 학원을 다녔던 덕에, 선배님들이 주시는 문제들을 풀어내며 평가를 잘 치러냈고 무사히 전산실에 남게 되었다.

그 때 평가를 받기 위해 했던 일 중에 하나를 소개하자면, 프로그램을 주고 그걸 분석해서 플로우 차트로 그려 내는 것이 과제였다. 건축 공사로 치면 건물을 보고 설계도면을 그려 내는 것과 같은 과정이었던 터라, 못하지는 않았는데 쉽지만은 않은 과정이었다.

그렇게 전산실에 남게 된 나는 본격적으로 업무를 받아 개발을 하기 시작했다. 컴퓨터를 배우면서도 이걸 언제 써먹나 싶었던 것들을 직접 사용해서 일을 하게 되니 신기하기도 했고, 해보고 싶었던 일을 하고 있으니 의욕이 차서 일을 하는 게 즐거웠다.

주 5일 근무제가 정착되기전에는 2주에 한 번씩 토요일에 번갈아 가며 휴무를 하는 격주 휴무 제도가 있었는데, 출근하는 토요일은 반일만 근무하고 퇴근하면 되는 거였다. 문제는 출근하는 토요일 마다 퇴근 시간이 가까워지면 그 때 일을 주는 바람에 일을 더하게 되어서 약속을 잡아 놓아도 약속을 못 지키거나 취소하게 되는 일이 빈번하기 일쑤였다는 거다. 그것 때문에 6년을 넘게 사귀던 여자 친구 와도 헤어지게 되었다.

그렇게 전산실 직원으로 적응되어 갈 때쯤 대한민국의 많은 것을 바꾸게 한 사건이 일어났고 내 삶에도 큰 변화를 주었는데, IMF였다.

내가 다니던 보험회사는 부실 보험회사로 분류가 되었는데, 지금은 돌아가시고 안 계신 그룹 회장님이 금융감독원의 증자 권고를 최종 거부함으로 인해 문을 닫게 되었다. 문을 닫게 되는 과정에서 전산실 직원들만 합병되는 회사로 옮겨가게 되었는데, 나는 회사를 옮겨가지 않고 회사가 문을 완전히 닫기 전에 퇴사를 했다. 한 동안은 아르바이트를 하며 지내다가 지금은 사라진 알리안츠제일생명 정보시스템부에서 프리랜서로 일을 시작하게 되었다. 이후 SI 일을 할 수 있는 회사에 정규직 직원으로 들어가 본격적으로 SI생태계에 뛰어들게 되었다.

SI는 system integration의 약어로, 기업이 필요로 하는 정보시스템에 관한 기획에서부터 개발과 구축, 나아가서는 운영까지의 모든 서비스를 제공하는 일(출처: 두산백과 두피디아)을 일컫는 용어로 시스템 통합 전산 구축을 일컫는 용어이다. 보통은 기간을 산정해 ○○○프로젝트라는 이름을 붙이고 수행하는 형태를 띈다. SI 생태계는 이런 SI를 주업으로 삼아 금융권이나 대기업 혹은 관공서 등에 SI를 수행하러 다니는 회사들이 주축인 업계를 일컫는 말이다.

전산실에 소속되어 있을 때와 SI 생태계에서 일을 하게 되었을 때의 가장 큰 차이는 입장이 바뀌었다는 거다. 전산실 소속이었을 때는 '갑'의 입장인데, SI 회사 소속이었을 때는 '을'의 입장이 된다는 거다.

아무튼 100% 나의 의지는 아니었어도, IMF라고 하는 시대의 흐름을 타고 그렇게 나는 SI생태계에서 새로운 시작을 하게 되었다.

가화만사성이더라

굉장히 오랜 시간동안 '대통령'이 되어 이 나라를 더 이롭게 하고 싶다는 '망상'을 꿈이라 착각하며 지냈었다. 그러기 위한 무슨 준비를 하거나 하지도 않으면서 그랬기에 '망상'이라고 얘기하는 거다. 그러다 IMF를 거치면서 현실 자각의 강도가 강해졌고, IMF 이전에 가지고 있던 평생 직장, 평생 직업이라는 개념이 사라지면서 대통령이 되리라는 '망상'도 다행히 자연스럽게 버려졌다.

다니던 직장이 사라질 수 있다는 걸 경험하고 나니 가족의 소중함이 더 커졌다. 그래서, 사귀던 여자친구와 결혼을 하고 가정을 꾸리게 되었는데 결혼한지 2년 3개월만에 아이도 없이 다시 싱글로 돌아오게 되었다.

직장 생활 통틀어 두어 번 위기가 있었는데, 그 첫번째 위기가 이혼을 하게 된 그 때였다.

그 당시는 술담배를 하던 때 여서 괴로움을 잊고자 술독에 빠져 연신 너구리를 잡고 지냈다. 그렇게 지내니 지병인 아토피가 극에 달해 외적으로도 사람의 몰골이 아니게 되기도 했었다. 다행히도 회사에서 배려를 받아 아토피 치료 차 병가를 내서 요양을 하기도 했다.

숨이 멈춰질 뻔한 두어 번 중에 두번째가 이때였다. 가정이 깨졌다는 괴로움에 술과 담배로 죽을 뻔했다.

죽을 뻔한 처음은 아토피를 얻게 된 고등학생 때였는데, 맹장염을 장염으로 오진 받아 한달 동안 제대로 치료받지 못하다 맹장염이 곪아 터져 복막염이 되는 바람에 숨이 멈춰질 뻔했었다.

다시 싱글로 돌아온 이후 몇 년 동안은 죽어라 일만 했다.

결혼하며 인생 계획 세웠던 것들이 다 부질없어지게 되었고, 나 자신을 위해서 뭘 하는 게 좋을지에 대해서도 아무 생각이 나질 않았다.

그러다 어느 정도 정신을 차리고 보니 5,6년이라는 시간이 지나 있었는데, 이번에는 집안에 변고가 생겼다. 집안에서 투자했던 부분이 문제가 생긴 거였다. 2008년 글로벌 금융위기의 여파를 우리 집에서도 그대로 맞게 된 것이었다. 이 때 살던 집까지 경매로 넘어가고 난리도 아니었다. 모든 자산에 대해 압류가 들어오고 채권 추심 전화에 노이로제가 생길 지경이었다.

숨이 멈춰질 뻔한 두어 번 중 이 때는 살던 아파트 옥상에 올라 가 자살 시도를 하기도 했다. 다행인 것은 옥상 난간에 올라가서 뛰어내릴까 말까 고민하던 찰나, 가슴팍으로 바람이 세게 불어와 휘청하면서 깜짝 놀라 옥상 바닥으로 내려왔다. 죽으러 올라갔으면서 죽을 뻔했네 하며 옥상 바닥으로 뛰어내려온 내 자신이 우습기도 하고 처량하기도 해서 한동안 목놓아 울다 내려왔다.

이래서 '가화만사성(家和萬事成)'이라고 하는 거구나 하는 것을 이혼과 집안 부도로 확실히 알게 되었다. 그리고 이때부터 삶에 대해 더 적극적인 자세를 갖게 되었다.

더 머물 순 없는 건가!

집안의 부도까지 겪으며 인생의 바닥을 경험하게 되었는데 그렇다고 죽을 순 없었기에(사실 옥상에서의 경험을 통해 나는 죽을 용기보다는 살고 싶은 맘이 크다는 것을 알게 되었기에), 마음을 다잡고 심기일전하여 10년 정도 다니던 회사에서 나와 본격적인 프리랜서로 SI일을 하러 다니게 되었다.

10년 동안 여러 프로젝트를 하면서 안 좋은 인상보다는 좋은 인상을 주며 일했고, 누구보다 열심히 일한 모습을 보여줬던 덕에 프리랜서로 일을 구하러 간 곳에서 좋은 인연이 작용하여 자리를 잡고 일을 시작하게 되었다. 그렇게 2년여 정도를 프리랜서로 일을 했다.

프리랜서의 가장 단점은 계약이 끝나게 되었을 때 다음 일이 바로 이어지지 않는다면 백수로 지내야 한다는 거다. 2년 정도를 일하던 곳에서 회사 사정으로 인해 더 이상 계약 연장을 하지 않게 될 거란 통보를 받고 나서 다시 정규직 일자리를 알아보게 되었는데, 먼저 연락이 왔다. 마침 나를 필요로 하는 일이 있어서 입사 제안을 받고 옮기게 되었다.

그런데 입사를 하고 보니 계획되었던 일엔 투입되지 못하고 계속해서 새롭게 접하는 일에만 투입이 되었다.

어러 경험을 하며 새로운 경력을 쌓는 차원에서는 강점이 될 수 있는데, 원래 하던 업무를 이어서 하지 못해 경쟁력이 약해시는 문제도 있게 되었다. 그래도 꼬박꼬박 나오는 월급이라는 심리적 마약이 있어 이런 거 저런 거 잴 거 없이 주는 일을 받아 일만 하면 됐다.

그렇게 6년 정도 시간이 흐르며 정착하고 있다고 생각하는 즈음에 그룹사 전체적으로 구조조정이 있게 되었고, 자녀도 없이 싱글이고, 회사에 손해를 끼친 적은 없어도 그렇다고 크게 이익을 가져다주는 것도 없는 걸로 평가되는 나는 정리해고 대상이 되어 권고사직에 의한 퇴사를 하게 되었다. 개인적으로 수모를 겪는다고 생각되는 연봉 삭감에도 크게 반발하지 않고 조용히 회사를 다녔는데, 결국은 정리해고라니 허무하고 비참하기도 했다. 회사에 남으려면 어떻게 하면 될지에 대해 인사팀장님과 많은 대화를 해봤지만 뾰족한 수도 없었다.

정년까지는 바라지 않는다 해도 회사를 나오기엔 아직 한창 일할 나이인데 억울하다는 생각이 많이 들었다. 그래도 어쩌겠는가... 나가라면 나가는 수 밖에...

그렇게 회사를 나와 글을 쓰고 있는 2024년인 지금까지 SI쪽에서 프리랜서로 일을 하고 있다.

Epilogue

전산(IT)인으로 살아가지 못하더라도

나는 정말 전산(IT)인으로 살기를 원했던가를 돌이켜보면 그건 아니었던 듯하다.

시대의 트렌드에 맞춰 직업을 찾는 과정에서 어릴 때 배운 컴퓨터의 경험에 의해 한번 해볼까 하는 생각에 시작을 하게 되었고, 배운 게 도둑질이라는 말을 그대로 인용하듯 그렇게 삶에서의 변화를 추구하기 보다는 안주하고 싶은 상태로 살아왔다는 생각을 하게 되었다.

마지막 회사를 퇴사한 이후 프리랜서로 일을 하면서 일의 연속성이 보장되지 않은 채로 지내다 보니, 경제적으로 심한 압박을 받는 일이 생기면서 내 삶 전체에 대해 다시금 돌아볼 수밖에 없게 되었고, 주업이라고 생각하고 있는 전산(IT)일만으로는 내 삶이 온전히 영위될 수 없다는 결론을 얻게 되었다.

그래서 무엇을 어떻게 하며 지내야 경제적인 문제를 덜 고민하고 걱정하며 지낼 수 있을까를 궁리했다. 내게 맞는 그리고 내가 잘 할 수 있는 것에 집중할 수 있는 실력을 갖추자는 생각을 했다. 비교적 접근이 용이한 민간자격증을 취득해서 살아갈 방법에 대한 모색을 하며 노력을 시작했다.

자격증을 발급해주는 사설 민간 기관에서 일정 기간동안 비용을 내고 강사 과정을 수강하게 되면 자격을 얻게 되는 것을 알게 되었다. 그래서 그 중에 초, 중, 고, 대학생들을 대상으로 진로와 취업에 대한 특강을 통해 도움을 주는 강사로, 중소기업체들 대상으로 하는 법정의무교육 강사로, 전 연령대에 걸쳐 성(인지)교육 강사로 일 할 수 있게 준비를 했다.

학생들에게 진로와 취업에 대한 특강을 하며, 나도 내가 잘할 수 있는 것이 뭐가 있나를 생각하며 시작하게 된 것이 있다. 그 첫번째가 시니어 배우 모집 광고를 통해 오디션을 보고 엔터테인먼트사에 정식 매니지먼트 계약을 하고 단역 배우로 출연할 수 있게 준비를 하고 있는 거다. 그리고 두번째가 글쓰기 작가로 이렇게 글을 쓰고 있는 거다.

이외에도 온라인 강의를 듣고 시험을 보고 자격증 발급 비용을 내면 자격을 얻게 되는 민간자격증 취득 과정을 통해서 타로 마스터, 도형심리상담사, 애니어그램상담사, 사주명리상담사, 퍼스널컬러진단사 등의 자격을 취득했다.

남은 인생을 살아가는데 있어 할 수 있는 것들은 계속 준비하며 실력을 다지며 살고자 한다. 내 안에 쌓아둔 지식과 실력은 누가 가져갈 수 없고 온전히 내 것이니까…

전산(IT)인으로 살아가지 못하더라도 삶을 영위함에 있어 두렵지 않게 끔 하는 것은 누가 대신해 줄 수 있는 게 아니다. 내 삶의 주인이 나인 것처럼 그렇게 내가 준비하고 노력하며 사는 게 답이라 생각하다. 그렇기에 오늘도 건강하게 살아있음에 감사드린다.

기회는 항상 있는데, 선택은 늘 할 수 있는 게 아니다. 할 수 있을 때 해야 한다.

그래야 그것이 나에게 어떤 식으로 든 보상으로 돌아오게 된다.

이제라도 이 간단한 삶의 이치를 깨달아 다행이고 그래서 더 감사하다.

삶이 기쁜 이유다.

부록

방구석 쥐띠들의 수다

이룬, 류지현, 진실하게 빛나다

방구석 쥐띠들의 수다

같은 쥐띠지만 어쩜 이렇게 비슷한 듯 다를까, '밸런스 게임'으로 알아보는 이룬, 류지현, 진실하게 빛나다의 마지막 이야기

1. 백마 탄 왕자님을 선택한다면?
세계 제일 부자 난쟁이 vs 박서준(연예인) 얼굴의 노숙자

: 박서준 얼굴의 노숙자를 선택하겠다. 어차피 짧은 인생이기 때문에 돈이 천문학적으로 많아도 다 쓰지 못할 것이다. 대신 얼굴이 괜찮으면 같이 있기만 해도 재미있을 것이다. 또 난쟁이와 같이 살면 금전적으로 의지하기 때문에 내가 '고맙다'라는 말을 해줘야 할 것 같고, 노숙자와 같이 살면 '고맙다'란 말을 듣고 살 것 같다. 여러모로 후자가 낫다.

: 세계 제일 부자 난쟁이를 선택하겠다. 결혼 생활에서 외모는 생각보다 중요하지 않다는 현실적인 판단이다. 잘생긴 노숙자는 결혼사진 찍을 때만 행복할 것 같다. 그런데 2세의 유전자를 고려하면 잘생긴 쪽도 매력적이다. 아이를 낳을 거면 박서준 얼굴의 노숙자. 아이를 안 낳을 거면 세계 제일 부자 난쟁이를 택하겠다. 얼굴이 잘생기면 주변에 여자가 따라와서 맘고생을 할 것 같아 신경이 쓰인다. 외모를 개선할 방법은 성형 같은 현실적인 대안이 있지 않을까?

: 노숙자를 데려다 잘 씻겨서 진짜 연예인으로 데뷔시키고 이참에 연예기획사 한번 차려보련다.

2. 선호하는 인간관계는?
얕고 넓은 인간관계 vs 좁고 깊은 인간관계

: 얕고 넓은 인간관계가 좋다. 기존에는 밖에 돌아다니지 않는 성격이라 좁고 깊은 인간관계밖에 없었다. 인간관계는 시간에 따라 얕아지기도 깊어지기도 하므로 깊이보단 넓은 것이 좋다고 느껴진다. 넓은 인간관계를 위해서 2025년에는 다양한 도전을 해볼 것이다.

: 좁고 깊은 인간관계다. 실제로 얕고 넓은 관계를 시도했지만 힘들었고, 결국 모든 사람을 챙기는 것이 부담으로 다가왔다. 좁고 깊은 인간관계를 유지하려면 다양한 관계를 경험해 보는 과정도 필요하다고 느낀다. 좁은 깊은 관계의 단점은 끊어지면 상처가 오래간다는 것인데 1~2명은 위험하고 적당한 규모의 깊은 관계(약 10명 정도)가 이상적이라는 판단이다.

: 좁고 깊은 인간관계. 얕고 넓은 관계는 피곤하기만 하다. 취미가 명함 수집도 아니고 대화에서 말이 짧은 나는 일의 접점이 없으면 만남 자체가 꺼려진다. 일과 상관없이 삶을 공유하고 같이 아파하고 축하할 수 있는 그런 관계로 몇이면 족하다.

3. 선호하는 쥐 캐릭터는?
라따뚜이 레미 vs 톰과 제리의 제리

: 자유로운 영혼인 제리를 택하겠다. 레미는 요리 천재라 매력적인데 주인공의 모자 속에서 너무 덥게 살 것 같다. 하지만 제리는 자기가 가고 싶은 곳 어디든 가는 캐릭터라서 나하고 잘 어울릴 것이다.

: 라따뚜이의 레미와 제리 사이에서 고민했지만, 최종적으로는 라따뚜이 레미를 선택하겠다. 레미의 요리에 대한 감각과 주체적인 삶이 더 매력적으로 다가왔기 때문이다. 제리의 스트레스 없는 삶도 매력적이지만, 주도적이고 창의적인 삶이 더 흥미롭다고 느낀다.

: 제리. 요리에 자신이 없고 먹는 것에 자신이 있는 난, 제리를 선택한다. 영특한 제리는 톰을 괴롭히는 캐릭터처럼 보이지만 사실은 톰을 돕고 싶어 하는, 애정 어린 행동력 만점의 매력적인 쥐, 츤데레인 나와 좀 닮지 않았나?

4. 로또 100억 당첨된다면?
가족들에게 알리기 vs 나만 간직하고 비밀로 한다.

: 가끔 복권을 사면서 상상해 본 문제다. 우선 엄마한테만 알릴 것이다. 그리고 내가 주고 싶은 만큼만 떼어서 부모님 드리고 나머지는 경매를 공부해서 부동산 매입을 하고 싶다.

: 가족들에게 알리지 않고 나만의 비밀로 간직하겠다. 돈이란 것은 드러내면 화를 입을 수 있다는 생각이 든다. 회사도 원래대로 다니는데 이전처럼 스트레스받지 않고 편하게 다닐 수 있을 것 같다. 아이들 학원비, 여행비 이런 걱정 없이 여유 있게 쓰면서 가끔 부모님 용돈도 드리고 어려운 곳에 몰래 기부도 하며 살면 참 행복하겠다.

: 이런 건 누구에게도 비밀로 해야 한다. 사람의 욕심은 욕심을 부르기 때문에 가족에게도 비밀로 해야 한다. 대신 건강한 세상을 위해 도움을 줄 수 있는 재단을 만들어서 운영하고 싶다. 이것도 비밀. 결국 알게 되겠지만 그때까지는 말이다. 조금이라도 여윳돈이 생긴다면 회사에서 받는 연봉은 용돈 정도로 생각하며 큰소리치고 다녀보면 좋을 듯.

5. 책 쓰기 프로젝트에 재참여할 의향은?
다시 참여해서 끝을 보기 vs 책 쓰지 말고 다른 프로젝트 도전하기

: 이번 책 쓰기 프로젝트에 후회 없을 정도로 열심히 참여했기에 다른 프로젝트 참여하기를 택하겠다. 책을 쓰는 것은 개인적으로 도전해 볼 예정이다. 내년 겨울 때쯤 자기계발서 또는 에세이 장르로 전자책을 출판해 보고 싶다.

: 책은 모르겠지만 글쓰기와 관련된 다른 프로젝트에 참여하고 싶다. 글을 계속 써야 실력이 늘 것 같아서 지속적인 글쓰기를 통해 실력을 쌓고 싶다. 언젠가 내 이름으로 된 한 권의 책을 내고 사인회를 열고 싶은 소망이 생겼다.

: 단편 소설을 위한 프로젝트가 있다면 도전해 보고 싶다. 처음으로 속엣말을 꺼내보니 할 말이 많아졌다. 많은 경험은 아니지만 가능하다면 이왕이면 좋은 영향력을 주는 작가이고 싶다.

에필로그

우리가 생각하는 공통점은

취처럼 숨어서 열일하는 아이디어 제조기, 얼굴 보고 얘기할 때보다 단체대화방에서 이야기할 때 수다가 넘친다. 아이디어가 넘쳐서 서로 말하고 싶어 난리 남. 대화가 마구 겹치는 너무너무 즐거운 활동가들.

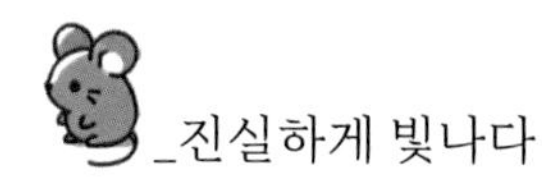
_진실하게 빛나다

우리는 고구마 라떼 같은 달콤한 음식을 좋아하는 취향이 비슷하다. 그리고 글 낭독을 할 때 항상 꼼꼼히 피드백하는 것으로 보니 경청을 잘하는 성격을 타고난 것 같다. 도망갈 타이밍을 위해 항상 잘 듣고 있어야 하기 때문일까?

_이룬

익숙함에 안주하기보다는 새로운 환경이나 경험에 뛰어드는 것을 즐긴다. 실수하더라도 이를 성장의 기회로 여기는 긍정적인 마음가짐이 있다. 이렇게 글쓰기 프로젝트에 같은 쥐띠 여자 셋이나 만나기란 쉽지 않지 않은가? 우리는 쥐띠임이 분명하다.

_류지현

다정히, 나를 마주 본 순간

저자	이룬, 채하, 진실하게 빛나다, 류지현, 백기사
ISBN	979-11-93697-52-8
발행일	2025년 2월 17일
펴낸이	이창현
디자인	비파디자인
펴낸곳	고유
출판사 등록	2022.12.12 (제2022-000324호)
주소	서울특별시 마포구 와우산로3길 29 2층
전화	070-8065-1541
이메일	goyoopub@naver.com

www.goyoopub.com